en acción
curso de español

Cuaderno de actividades

Marisa Lomo

Carolina Osinaga

Rocío Santamaría

Elena Verdía (Coordinadora)

Queremos dedicar este libro a Elena Verdía por su generosidad y apoyo.

Directora editorial:
Raquel Varela Méndez

Equipo editorial
Equipo editorial:
Producción: CD Form, S.L.
Edición: AGL Servicios Editoriales S.L.; Carmen Llanos Tato
Corrección: Cándido Tejerina
Diseño y puesta en página: DC Visual
Ilustraciones: Humberto Santana y DC Visual
Cubierta: Marcelo Spotti
Fotografía: Santi Burgos, Age fotostock y Cover.
Grabaciones: Crab ediciones musicales S. A.

© de esta edición: enClave-ELE – 2007 – ISBN: 978-84-935792-8-9

Depósito legal:

Impreso en Cimapress

ÍNDICE

A
MÓDULO

☺☺**1.a.** Indica en la tabla el grado de importancia que tiene para ti cada una de estas actividades a la hora de aprender una lengua extranjera. Compara tus respuestas con las de tus compañeros.

	Poca o ninguna	Alguna	Bastante	Mucha
Estudiar gramática.				
Ver la tele, escuchar la radio, ir al cine…				
Leer libros, artículos de periódico, páginas web…				
Estudiar vocabulario.				
Escribir cartas, informes, correos electrónicos…				

☺☺ **b.** Paul reflexiona sobre su experiencia como estudiante de idiomas. ¿Has tenido tú alguna experiencia similar? Coméntalo con tus compañeros.

¡Qué curioso! En el colegio estudié francés varios años, pero cuando estuve en París fui incapaz de pedir un café. Sin embargo, llevo sólo dos años aprendiendo español y… en Pamplona hablé con el recepcionista, salí a cenar con los de la oficina, fui de compras… ¡Y todo en español! Hombre, francés estudiaba bastante, pero nunca lo utilicé para las cosas que realmente me interesaban: muchos ejercicios tenían palabras que no eran muy útiles; los textos y las frases no parecían muy reales y… lo que hacíamos no era muy interesante… En cambio, en español… cada vez que aprendo algo nuevo lo pongo en práctica: en clase o fuera (hablando con amigos, chateando en Internet…). Cuando utilizo lo que he estudiado para hacer algo (hablar con los compañeros sobre temas interesantes, comparar nuestras ideas, escribir un mail…), me lo paso mucho mejor, compruebo que lo he entendido y aprendo más rápido…

☺☺ **c.** Y a ti, ¿te ayuda también la estrategia de PONER EN PRÁCTICA LO QUE HAS APRENDIDO EN CLASE? Compara tus respuestas con las de tus compañeros.

Me sirve para comprobar si realmente sé hacer y utilizar las cosas que he estudiado. ❑ Sí ❑ No

Me resulta útil para recordar mejor la gramática y el vocabulario que he visto en clase. ❑ Sí ❑ No

Me ayuda a aprender gramática y vocabulario nuevo. ❑ Sí ❑ No

Me parece útil para otras cosas: _____

2.a. ¿En qué nos basamos al crearnos una primera impresión de alguien? Lee los comentarios de algunos expertos sobre el tema y completa las frases, mostrando acuerdo o desacuerdo con los comentarios de los expertos.

Los que llevan gafas son vistos como intelectuales; los de pelo gris, como distinguidos.

La persona que evita mirar a los ojos resulta esquiva y tímida.

Un rostro agradable transmite confianza y honradez.

Las personas atractivas dan la impresión de ser más interesantes, honestas y abiertas.

No tengo muy claro que las personas atractivas den la impresión de ser más amables que las personas feas.

1. No estoy de acuerdo en que..._____

2. _____

3. _____

 b. Escucha la conversación de estos amigos y completa la tabla indicando de quién habla cada uno, cuál fue la primera impresión que tuvieron de esa persona y cómo resultó ser finalmente.

	Habla de...	1.ª Impresión	Realmente es...
Natalia			
Emilio			
Mónica			

c. Piensa en una persona de clase y escribe en tu cuaderno un texto acerca de la primera impresión que te produjo. Explica si esa impresión fue acertada o no y por qué.

PON EN PRÁCTICA LO QUE HAS APRENDIDO EN CLASE al utilizar los adjetivos y las expresiones de la unidad para contar a tu compañero la impresión que te produjo alguien. Después de escribir el texto y de hablar con tu compañero, comenta con él en qué medida puede ser útil esta estrategia para el aprendizaje de palabras y expresiones.

☺☺ **d.** Cuenta tu historia a uno de tus compañeros. ¿Os guiáis por la primera impresión o creéis que las apariencias engañan?

3.a. **Vamos a realizar un primer diagnóstico del nivel de la clase con unos descriptores que te servirán también para familiarizarte con el *Marco común europeo de referencia para las lenguas*. Autoevalúa tu capacidad para hacer estas cosas.**

ESCUCHAR	Sí	No
1. Puedo entender una conversación de carácter general cara a cara o por teléfono.		
2. Puedo comprender información técnica sencilla: cómo utilizar una máquina o un aparato.		
3. Puedo captar la información esencial de noticias de mi interés en la radio o la televisión.		
4. Puedo comprender los detalles esenciales de mensajes grabados y anuncios.		
5. Puedo captar lo esencial de una conversación extensa que se desarrolle en mi presencia.		

LEER	Sí	No
1. Puedo comprender la descripción de hechos y la expresión de deseos y sentimientos en una carta.		
2. Puedo captar lo esencial de letreros, etiquetas, menús, folletos, recetas, cartas, prospectos, etc.		
3. Puedo comprender notas con información relacionada con la vida cotidiana personal o profesional.		
4. Puedo entender los puntos esenciales de artículos de prensa sobre temas conocidos y de actualidad.		
5. Puedo comprender la trama de una historia de estructura clara y extraer lo más importante.		

INTERACTUAR ORALMENTE	Sí	No
1. Puedo solicitar y entender instrucciones detalladas para ir de un sitio a otro.		
2. Puedo expresar y reaccionar ante sentimientos diversos: sorpresa, felicidad, tristeza, etc.		
3. Puedo manifestar con educación mi acuerdo o desacuerdo con lo que otros han dicho.		
4. Puedo expresar y pedir puntos de vista y opiniones personales en una discusión informal.		
5. Puedo desenvolverme bien en muchas situaciones cotidianas: en un banco, una tienda, en el médico, etc.		

ESCRIBIR	Sí	No
1. Puedo escribir de manera breve un currículum, un mensaje, una nota, un correo electrónico, etc.		
2. Puedo rellenar formularios y responder a cuestionarios y otros documentos similares.		
3. Puedo redactar textos sencillos y coherentes sobre temas cotidianos expresando mi opinión.		
4. Puedo describir en una carta el argumento de una película o un libro y comentar un concierto.		
5. Puedo expresar en una carta personal sentimientos como tristeza, felicidad, interés, etc.		

HABLAR	Sí	No
1. Puedo contar el argumento de un libro o una película y describir mis reacciones.		
2. Puedo explicar y justificar mis planes, intenciones y acciones.		
3. Puedo describir con detalle experiencias, hechos (reales o no), sueños, esperanzas, etc.		
4. Puedo transmitir de forma sencilla algo que he leído o me han contado.		
5. Puedo opinar sobre temas abstractos o culturales como la música o el cine.		

b. **Elige uno de los descriptores que has señalado con un *sí* y reflexiona sobre qué cosas necesitas saber de la lengua y cultura hispanas para poder hacer esa actividad. Escríbelo en tu cuaderno.**

☺☺ **c.** Poned en común vuestros comentarios de 3.b. ¿Qué pensáis que significa ser capaz de hacer algo en español? ¿Estáis de acuerdo?

d. Fíjate en tus resultados de la actividad 3.a. y sombrea tantas casillas como respuestas afirmativas hayas marcado en cada destreza.

Cosas que sé hacer	Escuchar	Leer	Interactuar oralmente	Escribir	Hablar
1					
2					
3					
4					
5					

☺☺ **e.** Compara tu gráfico con el de tus compañeros y reflexionad sobre el nivel de la clase en las distintas destrezas. ¿Es similar? ¿Tenéis niveles más altos en unas destrezas que en otras? ¿Por qué?

4.a. Una misma expresión puede servirnos para reaccionar con asombro ante una información tanto positiva (☺) como negativa (☹) y la entonación es la que va a reflejar si compartimos la alegría o tristeza de nuestro interlocutor. Escucha estas expresiones y marca en la tabla la información ante la que están reaccionando.

REACCIONES	☺	☹	
1. ¿En serio?	*Me he comprado un coche nuevo.*	*Me han robado el coche nuevo.*	✗
2. ¡No me lo puedo creer!	*Renato ha ganado el maratón.*	*Renato no ha podido terminar el maratón.*	
3. ¡Vaya! No me lo imaginaba.	*Voy a tener un nuevo sobrino.*	*Mi hermana de 16 años está embarazada.*	
4. ¡Qué me dices!	*Ramón y Pilar se van a casar.*	*Ramón y Pilar se van a divorciar.*	
5. ¿Ah, sí? Pues no lo sabía.	*He aprobado el examen.*	*He suspendido el examen.*	
6. ¡No me digas!	*El jueves iré a tu fiesta de cumpleaños.*	*El jueves no podré ir a tu fiesta.*	

b. El profesor va a leer en voz alta estas frases. Reacciona utilizando la entonación adecuada según quieras expresar que se trata de un hecho positivo o negativo.

- En la próxima clase vamos a hacer un examen de dos horas sobre el subjuntivo.
- He leído que han inventado un método con el que se aprende un español perfecto en tan solo siete días.
- Estoy muy feliz. ¡Creo que me he enamorado!

> En esta actividad has empleado la estrategia de PONER EN PRÁCTICA LO QUE HAS APRENDIDO EN CLASE reaccionando con asombro ante lo que te han contado. ¿En qué medida te ha resultado útil?

☺☺ **c.** Escribe tres frases y léeselas a tu compañero. Él, fijándose en si la información que le das es positiva o negativa, tendrá que reaccionar empleando la entonación correcta.

1. _____

2. _____

3. _____

5.a. **Para rentabilizar tu aprendizaje es importante que conozcas bien la estructura de** *En acción 3.* **Completa este cuadro.**

Lo primero que llama la atención en el libro del alumno es que hay _____ índices.

| En el **primero** de ellos, se especifica todo lo que se va a trabajar en cada unidad atendiendo a cuatro aspectos:

• la _____, es decir, qué cosas vamos a poder hacer en español al final de la unidad;

• el _____ ___ ___ _____, que incluye todo lo que tenemos que aprender y practicar para ser capaces de hacer esas cosas;

• datos sobre la _____ y la _____, que pueden facilitarnos la comprensión del mundo hispano y del español;

• y, por último, los diferentes _____ que se van a trabajar. | En el **segundo**, se enumeran detalladamente todas las cosas que vas a ser capaz de hacer al final de cada unidad. Estos objetivos aparecen divididos según las cinco destrezas o actividades fundamentales que realizamos con el lenguaje:

1. _____ 2. _____

3. _____ _____

4. _____ 5. _____ |

Cada _____ unidades, hay una unidad de _____ que incluye tres páginas dedicadas al _____ y cinco a la _____.

Al final del libro del alumno hay tres nuevas secciones:

• _____ y _____, con explicaciones gramaticales;

• las _____ de _____, con la conjugación de todas las formas regulares e irregulares;

• y listas con las _____ y _____ más importantes de cada unidad en _____ idiomas.

b. **El principal objetivo de este libro es facilitar tu aprendizaje del español. Relaciona y descubre algunos de los porqués sobre *En acción 3*.**

1. Siguiendo las propuestas del *Portfolio Europeo de las Lenguas,* cada cuatro unidades se trabaja con actividades que te van a guiar en aspectos como...

2. La revista *Mundo latino* refuerza los contenidos trabajados en las cuatro unidades anteriores y...

3. La lista del apéndice *Palabras y expresiones* se ha realizado siguiendo un criterio de selección en el que se han tenido en cuenta dos aspectos fundamentales:...

4. El *cuaderno de actividades* sugiere ejercicios que favorecen el trabajo individual y la reflexión. Se fomenta el desarrollo de estrategias...

5. Con las actividades y técnicas trabajadas a lo largo de todo el libro se busca facilitar tu aprendizaje haciendo que trabajes de manera activa y notes día a día...

a) ...que todos los elementos estuvieran relacionados con los temas principales de la unidad y que contaran con una alta frecuencia de uso.

b) ...la reflexión sobre tu proceso de aprendizaje o la realización de una autoevaluación periódica.

c) ...tu progreso; manteniendo o aumentando tu motivación para aprender español; y facilitando que el grupo se conozca para trabajar en un buen ambiente.

d) ...propone actividades para presentar interesantes contenidos socioculturales a partir de la lectura de distintos tipos de textos auténticos.

e) ...que consoliden tu aprendizaje, que hagan más eficaz tu uso del español y que rentabilicen tu estudio.

☺☺ **c.** **Escribe en tu cuaderno qué aspectos te gustan más de *En acción 3* y por qué. Comprueba si coincides con tus compañeros.**

d. *En acción 3* sigue las orientaciones del *Marco común europeo de referencia*. **Marca la opción que consideres correcta en cada caso.**

a) Se ha adoptado un enfoque centrado en la acción, ¿qué crees que significa eso?

❏ La lengua es un sistema o código que cuenta con palabras (vocabulario) y con reglas (gramática). Memorizando el vocabulario y haciendo muchos ejercicios gramaticales el alumno la aprende.

❏ La lengua sirve para comunicarse y los alumnos la aprenden cuando la usan en distintas situaciones y hacen cosas en las que practican la gramática y el vocabulario que han estudiado.

b) ¿Qué tres grandes acciones o tareas concretas vas a realizar en la unidad 1?

❏ Repasar los números, hablar de la primera impresión que nos produce alguien y aprender muchos adjetivos.

❏ Hacer un *collage* con información de los compañeros, escribir un diario de aprendizaje y hacer un test para conocer nuestros estilos de aprendizaje.

c) ¿Qué se hace en las dos primeras páginas de cada unidad?

❏ Se introducen el tema, los contenidos y las acciones que se van a trabajar.

❏ Se comentan fotos interesantes y se realiza la primera de las tres tareas de la unidad.

d) ¿Y en las cuatro siguientes? Hay ejercicios diseñados para aprender y practicar lo necesario para...

❏ ...hablar bien en español y poder realizar de manera activa muchas actividades diferentes. Se trabajan las cinco destrezas: escuchar, leer, interactuar oralmente, escribir y hablar.

❏ ...poder hacer la primera acción propuesta en la unidad. Esta acción se realiza en el último ejercicio de este bloque, que termina con la sistematización de los contenidos trabajados en esas cuatro páginas.

e) Las siguientes cuatro páginas funcionan igual que las anteriores pero se trabaja la segunda acción propuesta en la unidad.

❏ Verdadero.

❏ Falso.

f) Cada unidad termina con una doble página centrada en la reflexión y el desarrollo de...

❏ ...otros aspectos relacionados con el tema de la unidad que también nos ayudan a comunicarnos mejor.

❏ ...la gramática relacionada con el tema de la unidad.

6.a. Piensa en distintos aspectos de tu país (noticias actuales, costumbres, hechos históricos...) que para ti respondan a estas valoraciones.

1. Un acierto: *El gobierno de mi país estudia ampliar la baja por maternidad de seis a nueve meses.*

2. Una locura: _____

3. Un error: _____

4. Algo estupendo: _____

☺☺ **b.** Lee tus frases a tus compañeros para que las valoren. ¿Coincidís en las valoraciones?

● *Lo de ampliar la baja maternal me parece estupendo y lo que dice Mary sobre la ley antitabaco, un acierto.*

■ *Pues yo... lo del tabaco lo veo una locura.*

En esta unidad has estudiado cómo referirte a un hecho conocido. Comprueba ahora si sabes utilizarlo PONIENDO EN PRÁCTICA LO QUE HAS APRENDIDO. Después, comenta con tus compañeros en qué medida te ha sido útil aplicar esta estrategia con este objetivo.

7.a. JMA2, FG1 y ZP3 son tres extraterrestres que han viajado por España y algunos países de Hispanoamérica. Lee las notas que han ido enviando a su planeta opinando sobre algunos aspectos de la realidad hispánica que les han llamado la atención. ¿Cómo caracterizarías a estos extraterrestres? Márcalo en la tabla.

	JMA2	FG1	ZP3
Conservador			
Exagerado			
Tolerante			
Políticamente incorrecto	X		
Crítico			
Idealista			

	JMA2	FG1	ZP3
Progresista			
Provocador			
Sarcástico			
Materialista			
Extremista			
Intransigente			

b. Justifica tu valoración de JMA2, FG1 y ZP3.

1. _JMA2 me parece tolerante, porque defiende la integración de los inmigrantes en España._

2. Para mí FG1 es _____

3. Yo veo a ZP3 _____

4. _____

5. _____

6. _____

7. _____

8. _____

c. Fíjate en estos datos sobre algunos aspectos de la realidad hispánica que han valorado JMA2, FG1 y ZP3 y da tu opinión sobre ellos.

El comercio en España cierra entre las 2 y las 5 de la tarde.

El tema de la muerte está muy presente en la vida diaria de los mexicanos.

Los argentinos se besan cuando se saludan o se despiden.

En España los homosexuales se pueden casar.

España es el país con más bares per cápita del mundo.

1. _Pues a mí, al contrario que para FG1, lo de los matrimonios homosexuales me parece acertado. Creo que cada uno debe decidir con quien quiere formar una familia._

2. Para mí, lo que piensa JMA2 sobre _____

3. _____

4. _____

5. _____

☺☺ **d.** Compara tus opiniones con las de tus compañeros. ¿Habéis coincidido? ¿Hay algún aspecto de la cultura hispánica que os llame especialmente la atención? Haz una lista con aspectos de tu cultura que puedan llamar la atención de los extranjeros. Después, coméntalo con tus compañeros.

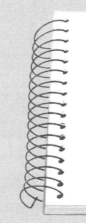

8.a. Lee la primera fila de estos SMS y verás cómo una misma crítica puede terminar en enfado (A) o en entendimiento (B). Suaviza las críticas de A para que tengan el final positivo de B. Fíjate en las abreviaturas del recuadro y utilízalas para escribir las nuevas críticas suavizadas.

que – ke	por – x
pero – xo	de – d
un/una – 1	más – +
para – xa	menos – –
te – t	besos – bss

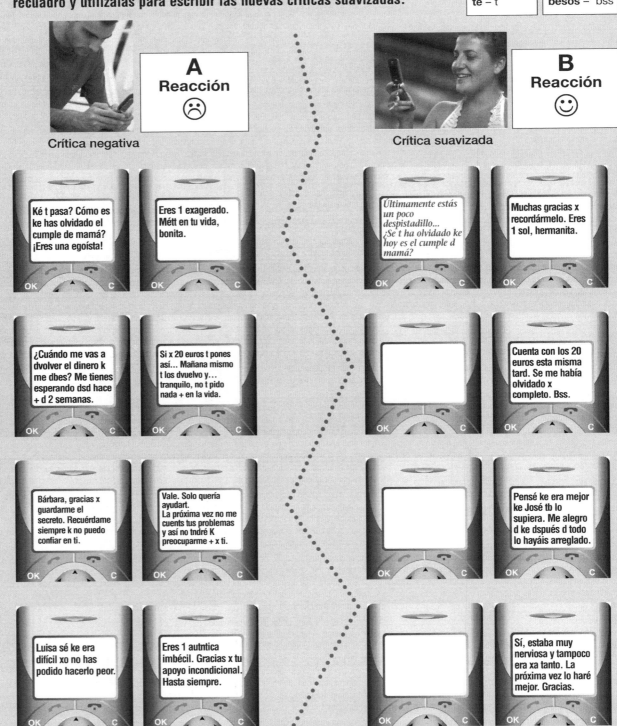

A Reacción ☹

Crítica negativa

B Reacción ☺

Crítica suavizada

Ké t pasa? Cómo es ke has olvidado el cumple de mamá? ¡Eres una egoísta!

Eres 1 exagerado. Métt en tu vida, bonita.

Últimamente estás un poco despistadillo... ¿Se t ha olvidado ke hoy es el cumple d mamá?

Muchas gracias x recordármelo. Eres 1 sol, hermanita.

¿Cuándo me vas a dvolver el dinero k me dbes? Me tienes esperando dsd hace + d 2 semanas.

Si x 20 euros t pones así... Mañana mismo t los dvuelvo y... tranquilo, no t pido nada + en la vida.

Cuenta con los 20 euros esta misma tard. Se me había olvidado x completo. Bss.

Bárbara, gracias x guardarme el secreto. Recuérdame siempre k no puedo confiar en ti.

Vale. Solo quería ayudart. La próxima vez no me cuents tus problemas y así no tndré K preocuparme + x ti.

Pensé ke era mejor ke José tb lo supiera. Me alegro d ke dspués d todo lo hayáis arreglado.

Luisa sé ke era difícil xo no has podido hacerlo peor.

Eres 1 autntica imbécil. Gracias x tu apoyo incondicional. Hasta siempre.

Sí, estaba muy nerviosa y tampoco era xa tanto. La próxima vez lo haré mejor. Gracias.

☺☺ **b.** Lee los SMS que han escrito tus compañeros. Si te los mandaran a ti, ¿te enfadarías?

9.a. Relaciona cada frase con su estilo de aprendizaje correspondiente.

a. EL VISUAL

b. EL AUDITIVO

c. EL KINESTÉSICO

a	Ya veo lo que quieres decir.
	Sigue, sigue… No me he perdido, capto lo que me dices.
	Te escucho.

	¿Te dice algo?
	¿Lo has cogido ya o sigues sin pillarlo?
	¿Cómo lo ves?

	Esa historia me chirría.
	Esa historia no la veo nada clara.
	Esa historia no me huele nada bien.

	Es una propuesta deliciosa.
	Es una propuesta muy atractiva.
	Esa propuesta suena muy bien.

	Es que no lo puedo ver.
	Es que es un pesado.
	Es que no estamos en la misma onda.

b. ¿Usas algunas de estas frases? ¿Cuáles? ¿Hay alguna relación entre las frases que usas y tu estilo de aprendizaje?

DESARROLLO DE ESTRATEGIAS

10.a. ¿Te ha ayudado la estrategia de PONER EN PRÁCTICA LO QUE APRENDES EN CLASE a lo largo de la unidad?

❏ Sí, me ha ayudado a comprobar que ya sé hacer muchas cosas en español y que hay otras que tengo que repasar y practicar un poco más.
❏ Sí, me ha ayudado a aprender más fácilmente las cosas nuevas que hay en esta unidad.
❏ No, no me ha ayudado.

☺☺ **b.** Si no te ha ayudado la estrategia, ¿sabes cuál ha sido el motivo? Escríbelo y coméntalo con tus compañeros.

_____
_____
_____

c. ¿Crees que esta estrategia puede servirte fuera del aula? ¿En qué situaciones?

_____
_____
_____

☺☺ **d.** Comenta tus respuestas con los compañeros. ¿Coincides con alguno de ellos?

A MÓDULO

1.a. Tienes que escribir una biografía de un personaje famoso de tu país para clase de español. Antes de empezar a escribir, ¿haces alguna de estas cosas?

❑ Pienso lo que quiero decir.

❑ Busco un texto en español que me sirva de modelo.

❑ Hago una lista con las primeras ideas que me vienen a la cabeza.

❑ Dedico un poco de tiempo a tranquilizarme y a prepararme mentalmente, porque escribir me parece muy difícil.

❑ Hago una lista de palabras relacionadas con el tema y busco en el diccionario las que no conozco.

❑ No hago nada. Prefiero dedicar todo el tiempo a escribir.

❑ Pienso cómo escribiría ese texto en mi idioma.

❑ Otra cosa: _____.

b. Observa la estrategia que utiliza Paul antes de empezar a escribir la biografía. ¿Haces tú lo mismo? ¿Y tus compañeros?

> Vale, ya sé sobre qué famoso voy a escribir. Ahora… a ver qué quiero contar. Bien… Puedo empezar hablando de su infancia: dónde nació, su familia, sus estudios… Después, cómo se hizo famoso y… No, no… Mejor antes cuento las cosas más importantes que vivió hasta que se hizo famoso: la beca, el trabajo…

❑ No, nunca preparo un esquema para organizar las ideas.

❑ Sí, lo he hecho, pero no me ha ayudado mucho.

❑ Lo he hecho pocas veces, pero creo que es útil.

❑ Sí, lo hago habitualmente, porque me ayuda.

☺☺ **c. Habla con tus compañeros para saber si utilizan la estrategia PREPARAR UN ESQUEMA PARA ORGANIZAR LAS IDEAS, antes de empezar a escribir un texto. ¿Con qué tipo de textos lo hacen?**

1º. INFANCIA:
Nacimiento: fecha y lugar
Familia: muchos hermanos, poco dinero…
Sus estudios: buen estudiante

~~2º. SE HACE FAM~~
2º. COSAS IMPORTANTES ANTES DE SER FAMOSO:
Beca en París
Estudia y trabaja mucho: artículos, poco éxito

3º. ~~GRAN CAMBIO:~~ SE HACE FAMOSO:
Todo cambia: escribe mucho, gana mucho dinero
Se casa ~~dos~~ veces → TRES
Enfermedad y muerte

5º 4º MI OPINIÓN PERSONAL SOBRE SUS LIBROS

4º 5º REPERCUSIONES DE SU OBRA
Desde el punto de vista literario
Ventas, éxito del público

2.a. Estos son algunos datos curiosos y anecdóticos de la vida de Pedro Almodóvar. Completa los textos conjugando los verbos en la forma correspondiente: pretérito indefinido o pretérito imperfecto. Después, vuelve a leer la información y organízala por orden cronológico.

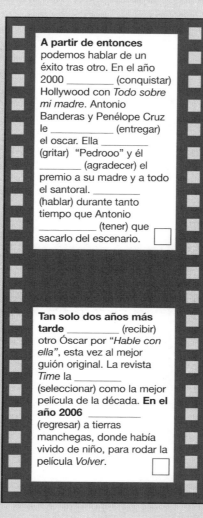

Fue poco después cuando _____ (conseguir) un empleo en la Compañía Telefónica Nacional de España, donde _____ (trabajar) doce años como administrativo. _____ (poder) realizar sus primeros cortometrajes en súper 8 mm. y _____ (disfrutar) de la *movida madrileña*, junto a gente que, como él, _____ (soñar) con una vida en libertad.

Durante su infancia y adolescencia Pedro _____ (recibir) una estricta educación religiosa. Esta formación marcaría muchas de sus películas. **Al cumplir los dieciocho,** _____ (tener) ya las ideas muy claras: sin familia y sin dinero, _____ (instalarse) en Madrid para estudiar y hacer cine. Pero le _____ (ser) imposible matricularse en la Escuela Oficial de Cinematografía, ya que Franco _____ (acabar) de cerrarla.

A partir de entonces podemos hablar de un éxito tras otro. En el año 2000 _____ (conquistar) Hollywood con *Todo sobre mi madre*. Antonio Banderas y Penélope Cruz le _____ (entregar) el oscar. Ella _____ (gritar) "Pedrooo" y él _____ (agradecer) el premio a su madre y a todo el santoral. _____ (hablar) durante tanto tiempo que Antonio _____ (tener) que sacarlo del escenario.

Tan solo dos años más tarde _____ (recibir) otro Óscar por *"Hable con ella"*, esta vez al mejor guión original. La revista *Time* la _____ (seleccionar) como la mejor película de la década. **En el año 2006** _____ (regresar) a tierras manchegas, donde había vivido de niño, para rodar la película *Volver*.

En 1988 con *Mujeres al borde de un ataque de nervios* _____ (convertirse) en el director extranjero de cine independiente más taquillero de Estados Unidos.

Pedro *nació* (nacer) el **9 de octubre de 1951** en Calzada de Calatrava, provincia de Ciudad Real. **De niño** _____ (tener) que emigrar a Extremadura con su familia, porque **en aquella época** la vida en España no _____ (ser) fácil. 1

(Información extraída de **www.publispain.com/revista/biografia-de-pedro-almodovar.htm** y **www.clubcultura.com/clubcine/clubcineastas/almodovar/esp/cronologia2.htm**)

😊😊 **b.** ¿Cómo creéis que fueron la infancia y los primeros años de Almodóvar como director?

● *Su infancia tiene pinta de haber sido un poco difícil, porque...*

c. Piensa en algún personaje muy conocido y escribe su biografía en tu cuaderno sin poner su nombre. Utiliza las expresiones que aparecen resaltadas en 2.a.: *de niño, en aquella época...*

😊😊 **d.** En pequeños grupos. Lee la biografía para que tus compañeros adivinen de qué personaje se trata.

En la actividad 2c puedes utilizar la estrategia PREPARAR UN ESQUEMA PARA ORGANIZAR LAS IDEAS.

Reflexiona con tus compañeros sobre la utilidad que para cada uno ha tenido la estrategia de PREPARAR UN ESQUEMA PARA ORGANIZAR LAS IDEAS en la actividad 2c. ¿Habéis utilizado otras estrategias que os hayan servido?

3.a. Completa estos datos biográficos conjugando los verbos del recuadro en pretérito indefinido.

• cumplir   • ~~grabar~~   • rediseñar   • obtener   • ser   • convertirse

1. Los Beatles _grabaron_ Let it be en 1969.

2. Nelson Mandela _____ en el primer presidente de raza negra de Sudáfrica en 1994.

3. Maradona _____ el máximo goleador del campeonato nacional argentino en 1980.

4. El 28 de marzo de 2006 Mario Vargas Llosa _____ 70 años.

5. Mijail Gorbachov _____ el premio Príncipe de Asturias de Cooperación Internacional en 1989.

6. En el año 1969 Dalí _____ el envoltorio del Chupa-Chups, inventado por Enrique Bernart en 1958.

b. Relaciona los datos de 3.a. entre sí según su orden cronológico usando *ya, todavía no, aún no*, como en el ejemplo.

1. Cuando _Los Beatles grabaron Let it be, Vargas Llosa todavía no había cumplido 70 años._

2. Cuando _____

3. Cuando _____

c. Ahora relaciona cronológicamente los hechos de 3.a. con datos sobre tu vida o la de tus familiares.

1. _Yo todavía no había conocido a mi marido, cuando los Beatles grabaron Let it be._

2. _____

3. _____

4.a. El pretérito imperfecto de subjuntivo se forma a partir del pretérito indefinido de indicativo. Fíjate en la tabla y completa la tercera columna con las dos terminaciones.

Infinitivo	Pretérito indefinido (3ª per. pl)	Pretérito Imperfecto de Subjuntivo	Infinitivo	Pretérito indefinido (3ª per. pl)	Pretérito Imperfecto de Subjuntivo
jugar	*jug-aron*	(2ª per. sing.) *jug-aras / jug-ases*	poder	*pudieron*	(3ª per. sing.) _____
conseguir	*consiguieron*	(3ª per.pl.) _____	ver	*vieron.*	(2ª per. sing.) _____
dormir	*durmieron*	(2ª per.pl.) _____	pedir	*pidieron*	(3ª per. pl.) _____
decir	*dijeron*	(1ª per. sing.) _____	nacer	*nacieron*	(2ª per. sing.) _____
leer	*leyeron*	(1ª per.pl.) _____	producir	*produjeron*	(1ª per. pl.) _____

UNIDAD 2

b. Completa la tabla.

		HACER				
				pusiera		
			dieras			
	viniera					
						quisiéramos
supierais						
					fueran	

5.a. Lee este relato de Enrique Anderson Imbert (Argentina, 1910-2000) y rellena la ficha con los datos del cuento. Señala (X) el tipo o tipos de relato al que pertenece y cómo lo describirías.

Título				
Autor				
Tipo de relato	de intriga	de aventuras	de amor	de crítica social
	de humor	de terror	de ciencia ficción	policiaco
Descripción de un relato	original	crítico	poético	desgarrador
	melancólico	irónico	impactante	sencillo
	sorprendente	realista	inquietante	inclasificable
	divertido	imaginativo	surrealista	complejo

EL CRIMEN PERFECTO

Creí haber cometido el crimen perfecto. Perfecto el plan, perfecta su ejecución. Y para que nunca se encontrara el cadáver, lo escondí donde a nadie se le ocurriera buscarlo: en un cementerio. Yo sabía que el convento de Santa Eulalia estaba desierto desde hacía años y que ya no había monjitas que enterrasen monjitas en su cementerio. Cementerio blanco, bonito, hasta alegre con sus cipreses y paraísos a orillas del río. Las lápidas, todas iguales y ordenadas como canteros de jardín alrededor de una hermosa imagen de Jesucristo, lucían como si las mismas muertas se encargasen de mantenerlas limpias. Mi error: olvidé que mi víctima había sido un furibundo ateo. Horrorizadas por el compañero de sepulcro que les acosté al lado, esa noche las muertas decidieron mudarse: cruzaron a nado el río llevándose consigo las lápidas y arreglaron el cementerio en la otra orilla, con Jesucristo y todo. Al día siguiente los viajeros que iban por lancha al pueblo de Fray Bizco vieron a su derecha el cementerio que siempre habían visto a su izquierda. Por un instante, se les confundieron las manos y creyeron que estaban navegando en dirección contraria, como si volvieran de Fray Bizco, pero en seguida advirtieron que se trataba de una mudanza y dieron parte a las autoridades. Unos policías fueron a inspeccionar el sitio que antes ocupaba el cementerio y, cavando donde la tierra parecía recién removida, sacaron el cadáver (por eso, a la noche, las almas en pena de las monjitas, volvieron muy aliviadas, con el cementerio a cuestas) y de investigación en investigación...; ¡bueno! El resto ya lo sabe usted, señor Juez.

(*El gato de Cheshire*, Losada, Buenos Aires, 1965.)

☺☺ **b.** Compara tu ficha con las de tus compañeros y justificad vuestras respuestas.

● *Yo creo que es un relato de humor, porque me parece divertido que entierren a un ladrón en...*

c. Piensa en un libro, una película o una serie de televisión que te guste y haz en tu cuaderno una ficha como la de 5.a.

☺☺ **d.** Poned en común vuestras fichas. ¿Conoces los libros, películas o series de televisión que han elegido tus compañeros? ¿Estás de acuerdo con sus análisis?

6.a. El detective Agapito Cristi está investigando algunos sucesos extraños que han ocurrido cerca de donde estudias español y hoy ha interrogado a algunos estudiantes y profesores. Uno de los interrogados ha sido la profesora Lola. Lee las notas que ha tomado Agapito en su cuaderno y fíjate en la agenda de Lola. ¿Hay datos falsos en su coartada?

¿Cuándo?	¿Dónde estaba?	¿Con quién?	¿Qué estaba haciendo?
Anteayer 20:30	En la cafetería López	Con una amiga	Estaba charlando con su amiga sobre sus vacaciones a Portugal
Ayer 11:30	En el gimnasio	Sola	Aeróbic
Ayer 21:45	En el cine Alfa	Sola	Viendo la película de Tom Cruz y Penélope Crucero
Hace tres horas	Aquí (su centro de trabajo, profesora)	Con sus alumnos del grupo A2	Ha estado unos días enferma. Estaba recuperando una clase del martes pasado.

Lola

SEMANA 35

10:30	Gimnasio.
12:30	Clase con B3.
20:00	Corregir deberes y preparar clases.
9:00	Súper, banco (hacer transferencia) y correos (enviar cartas).
17:30	Clases (A2, B2, B3).
21:30	CBC, programa sobre Egipto.
12:30	Doctor Bentrán.
14:30	Recuperación de una hora y media con grupo A2.
19:30	Entrevista con Agapito.

Anteayer a las 20:30 no estaba con una amiga en la cafetería López. Según su agenda, estaba corrigiendo deberes y preparando clases.

_____

_____

b. Ahora contesta tú las preguntas del detective Cristi: dónde estabas, con quién y qué estabas haciendo estos días a estas horas.

1. Anteayer a las 20:30 → _____

_____

2. Ayer a las 11:30 → _____

_____

3. Ayer a las 21:45 → _____

_____

4. Hace tres horas → _____

_____

☺☺ **c.** Compara tus respuestas con las de tus compañeros. ¿Quién tiene la peor coartada para cada pregunta?

● *La peor coartada para anteayer a las 20:30 es la de Tim. Dice que, como estaba muy cansado, ya estaba durmiendo en su casa desde hacía más de una hora.*

7.a. Lee el correo electrónico que Pablo envía a Manu y elige la opción correcta para estas preguntas.

¿Qué frase resume mejor el problema de Pablo?

❑ Desde hace algún tiempo la mujer de Pablo se comporta de forma extraña y él cree que le está siendo infiel.

❑ Pablo está desesperado porque su mujer ha cambiado mucho últimamente y huele a la colonia de un tal Hugo.

¿Qué tres cosas han hecho que Pablo sospeche de Carolina?

❑ Carolina llega tarde a casa, usa la colonia de un tal Hugo y dibuja corazones cuando habla con él por teléfono.

❑ Carolina vuelve tarde a casa, en su agenda ha dibujado un corazón junto al teléfono de un tal Hugo y por las tardes huele a colonia de hombre.

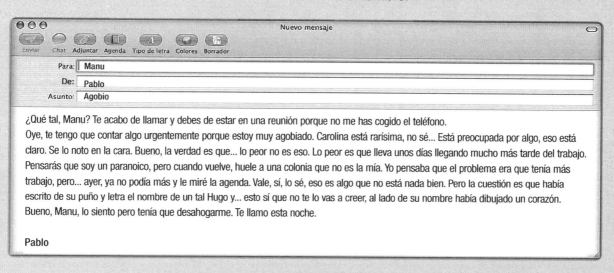

Nuevo mensaje

Enviar Chat Adjuntar Agenda Tipo de letra Colores Borrador

Para: Manu
De: Pablo
Asunto: Agobio

¿Qué tal, Manu? Te acabo de llamar y debes de estar en una reunión porque no me has cogido el teléfono.

Oye, te tengo que contar algo urgentemente porque estoy muy agobiado. Carolina está rarísima, no sé... Está preocupada por algo, eso está claro. Se lo noto en la cara. Bueno, la verdad es que... lo peor no es eso. Lo peor es que lleva unos días llegando mucho más tarde del trabajo. Pensarás que soy un paranoico, pero cuando vuelve, huele a una colonia que no es la mía. Yo pensaba que el problema era que tenía más trabajo, pero... ayer, ya no podía más y le miré la agenda. Vale, sí, lo sé, eso es algo que no está nada bien. Pero la cuestión es que había escrito de su puño y letra el nombre de un tal Hugo y... esto sí que no te lo vas a creer, al lado de su nombre había dibujado un corazón. Bueno, Manu, lo siento pero tenía que desahogarme. Te llamo esta noche.

Pablo

b. Ninguna de las hipótesis de Pablo es correcta. Piensa en otras posibles explicaciones para las tres cosas que le han hecho sospechar de su mujer.

1. *Me parece que Carolina llega tarde porque...*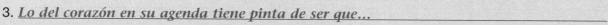
_____

2. *Seguro que huele a una colonia diferente porque...*
_____

3. *Lo del corazón en su agenda tiene pinta de ser que...*
_____

c. Escucha la explicación de la historia y aclara las tres cosas que han hecho sospechar a Pablo.

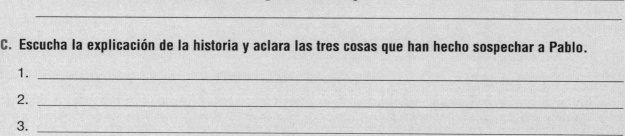

1. _____

2. _____

3. _____

😊😊 **d.** Ahora que conocéis la historia, decidid quién se ha acercado más a la realidad con sus hipótesis de 7.b.

8.a. Hay objetos, personas y situaciones que pueden provocarnos diversos sentimientos. Piensa en cosas que:

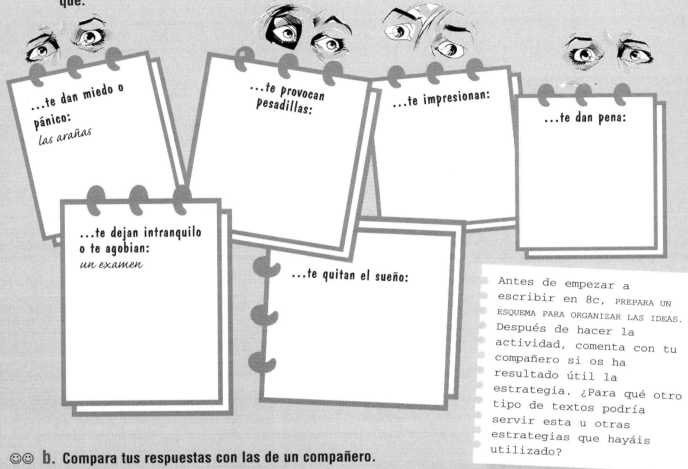

...te dan miedo o pánico:
las arañas

...te provocan pesadillas:

...te impresionan:

...te dan pena:

...te dejan intranquilo o te agobian:
un examen

...te quitan el sueño:

Antes de empezar a escribir en 8c, PREPARA UN ESQUEMA PARA ORGANIZAR LAS IDEAS. Después de hacer la actividad, comenta con tu compañero si os ha resultado útil la estrategia. ¿Para qué otro tipo de textos podría servir esta u otras estrategias que hayáis utilizado?

b. Compara tus respuestas con las de un compañero.

c. Recuerda una vez en la que experimentaste alguna de las sensaciones de 8.a. Escríbelo en tu cuaderno y luego cuéntaselo a tu compañero.

9.a. Una frase puede expresar sentimientos muy distintos según la entonación. Vas a escuchar cada frase tres veces. Marca en la tabla el orden en el que se expresan esas emociones.

FRASE 1
Me voy a trabajar tres años a Japón.

Alegría	
Pena	*1º*
Enfado	

FRASE 2
Mañana viene tu madre a comer.

Alegría	
Pena	
Enfado	

FRASE 3
Me ha dejado mi novio.

Alegría	
Pena	
Enfado	

b. Practica con tu compañero. Da diferentes entonaciones a estas frases. Él tiene que adivinar qué sentimiento quieres transmitir.

- Mira lo que me acabo de encontrar.
- El otro día vi a tu hermano con Teresa.
- Ya me han dado la nota del examen.

10.a. Vamos a recordar a dos personajes de nuestra infancia. Fíjate en los dibujos y completa las frases con los verbos *enseñar, salir, volar* y *atravesar* en la forma correcta.

1

A Caperucita le gustaba *atravesar* el bosque para ir a visitar a su abuelita.

A Caperucita le daba miedo que el lobo le _____ los dientes.

2

A Aladino le divertía _____ en la alfombra mágica.

A Aladino le encantaba que el genio _____ de la lámpara.

b. ¿Y a ti? ¿Qué te gustaba, preocupaba, daba miedo o molestaba de pequeño? Escribe cinco frases sobre algunos sentimientos que recuerdes de tu infancia. Utiliza los verbos del recuadro.

gustar	preocupar	dar miedo	molestar	divertir	odiar
encantar		aburrir	fastidiar	no soportar	

1) _____

2) _____

3) _____

4) _____

5) _____

☺☺ **c.** Compara las respuestas de 10.b. con las de tus compañeros. ¿Tenéis cosas en común?

11.a. Lee estas definiciones sobre vocabulario de historias policiacas y escribe las soluciones.

a. Persona que ha matado a alguien.

A	S	E	S	I	N	O

b. Sinónimo de "agruparse". (3 palabras)

F		M	R					U	P	

c. Arma de fuego utilizada por la policía.

	I					

d. Hacer fuerza contra alguien o algo para moverlo.

	M		J		

e. Persona que es responsable de una falta, delito o culpa.

C				A		

f. Cuerpo sin vida.

	A		V	R

g. Instrumento para cortar, muy utilizado en la cocina.

					L	L

h. Podemos denunciar un robo en su comisaría.

			I		A

i. Retirarse alguien a un lugar o sitio secreto.

E				N				E

j. Verbo "lanzar" (3ª persona plural/pretérito indefinido).

k. Conjunto de normas que debe cumplir una sociedad.

		G		A	

b. Para confirmar que has completado bien las definiciones anteriores, escribe las letras de las casillas sombreadas en 11.a. y obtendrás una nueva palabra.

S a	b	c	d	e	f	g	h	i	j	k

C. Escribe un relato breve en el que tus compañeros y tú seáis los protagonistas. Utiliza todas las palabras que han aparecido en 11.a. y 11.b. y algunos marcadores como *pues mira*, *total que*, *resulta que*, *de repente*, *al final*...

> Acuérdate de utilizar la estrategia de PREPARAR UN ESQUEMA PARA ORGANIZAR LAS IDEAS antes de escribir el relato.

😊😊 **d.** En grupos, leed los relatos de vuestros compañeros y elegid uno. Después poned en común los elegidos y decidid entre toda la clase cuál es el que más os ha gustado.

DESARROLLO DE ESTRATEGIAS

12.a. ¿Te ha ayudado la estrategia de PREPARAR UN ESQUEMA PARA ORGANIZAR LAS IDEAS de los textos que has escrito a lo largo de esta unidad? Márcalo.

❏ Me ha ayudado mucho.   ❏ Me ha ayudado bastante.   ❏ No me ha ayudado.

b. ¿Ha habido algún texto en el que no te haya resultado útil esta estrategia? Escribe por qué crees que no te ha servido y qué otras estrategias pueden ser útiles para dichos textos.

😊😊 **c.** Comenta tus respuestas con tus compañeros. ¿Coincides con alguno de ellos?

😊😊 **d.** ¿Crees que la estrategia de Paul puede ser útil para ayudarte con tu expresión oral? ¿En qué situaciones? Coméntalo con tus compañeros.

MÓDULO A

1.a. Paul habla con un amigo suyo sobre sus últimas vacaciones. Lee la conversación y observa sus gestos; después marca en la tabla las estrategias que utiliza PARA EXPRESAR DE OTRO MODO LO QUE NO SABE DECIR en español.

> Pues he estado en un… en **algo así como** un hotel-hospital sin médicos y con piscinas medicinales en lugar de medicinas. Estaba en una zona preciosa que era… **lo contrario de** desértica. Y ahora estoy perfecto… ¡Es increíble la **fortitud** emocional con la que he vuelto.

> Sí, sí… Yo también estuve el año pasado en un **balneario**, en Galicia. Era un sitio también muy **frondoso**, o sea, nada desértico y… la verdad es que debería volver, porque a mí tampoco me vendría mal un poco de **fortaleza** emocional…

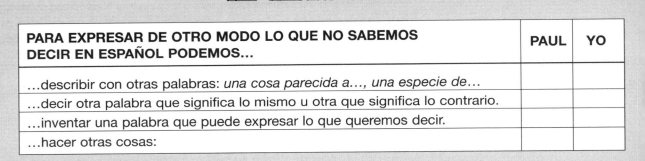

PARA EXPRESAR DE OTRO MODO LO QUE NO SABEMOS DECIR EN ESPAÑOL PODEMOS…	PAUL	YO
…describir con otras palabras: *una cosa parecida a…, una especie de…*		
…decir otra palabra que significa lo mismo u otra que significa lo contrario.		
…inventar una palabra que puede expresar lo que queremos decir.		
…hacer otras cosas:		

b. Marca en la tabla las estrategias que tú utilizas y añade otras.

☺☺ **c.** Piensa palabras relacionadas con el tema de las vacaciones. Imagina que necesitas utilizarlas y que no las conoces. Utiliza las estrategias anteriores para expresar su significado. ¿Saben tus compañeros qué quieres expresar?

- *Quiero ir en un barco que funciona como una especie de hotel que se mueve y hace algunas escalas.*
- *¿Quieres "hacer un crucero"?*
- *¡Sí!*

d. ¿Crees que estas estrategias pueden ayudar a EXPRESAR DE OTRO MODO LO QUE NO SABEMOS DECIR en español? ¿En qué situaciones pueden ser útiles? Coméntalo con tus compañeros.

2.a. ¿Cómo desconectas de la rutina diaria? Marca tus respuestas a este cuestionario en la columna correspondiente.

¿CÓMO DESCONECTAS DE LA RUTINA DIARIA?		Yo	Mi compañero

1. Para desconectar prefiero…
a) un lugar de playa.
b) un lugar de montaña.
c) una gran ciudad con mucha historia.

2. La actividad que más me relaja es…
a) contemplar un paisaje.
b) ver amanecer o ver atardecer.
c) respirar aire puro.

3. Si voy a la playa, elijo…
a) una playa nudista.
b) una playa solitaria.
c) una playa concurrida.

4. Si voy a la montaña, me gusta…
a) escalar.
b) acampar.
c) dar largos paseos.

5. En mi próxima escapada me gustaría…
a) bucear.
b) escalar.
c) hacer nudismo.

6. Para desconectar necesito…
a) estar solo.
b) hacer una escapada con un grupo reducido.
c) viajar, pero me da igual el número de personas que vengan al viaje.

	Yo	Mi compañero
1		
2		
3		
4		
5		
6		

	Sergio	Óscar
1	a	
2		
3		
4		
5		
6		

☺☺ **b.** Hazle el cuestionario a tu compañero y escribe sus respuestas en la columna correspondiente. ¿Coincidís?

 c. Sergio y Óscar están planeando una escapada para las vacaciones de Semana Santa. Escucha la conversación y completa los apartados de la tabla que corresponden a cada uno.

d. ¿Cuáles son las preferencias de tu compañero a la hora de organizar y hacer un viaje: países y ciudades favoritos, el clima, sus planes para el futuro, etc.? Prepara algunas preguntas; luego anota sus respuestas.

1. De los países que conoces, ¿cuál es el que más te gusta? ¿Por qué?
_____

2. ¿Qué ciudades de las que conoces recomendarías para un viaje?
_____

3. _____

4. _____

5. _____

3.a. Observa los cuadros y localiza en ellos el vocabulario de la lista. Anota el número correspondiente.

① CUEVA   ③ ACANTILADO   ⑤ CALA   ⑦ BOSQUE   ⑨ SENDERO

② DUNAS   ④ MONTAÑA   ⑥ MIRADOR   ⑧ CASCADA   ⑩ CIMA

b. Sara describe así el pueblo en el que está pasando sus vacaciones. Lee la postal y completa las frases con los pronombres relativos. Después anota en los círculos el número correspondiente a las palabras de 3.a. que aparecen descritas en negrita en la postal.

| • en las que • bajo la que • en la que • a la que • que |
| • en la que • desde el que • desde la que • por el que |

Querida Ana; ya estoy de vacaciones. Todo esto es genial: hay una ⑤**pequeña playa** _en la que_ la gente puede relajarse, hacer nudismo, nadar y bucear. El viento forma allí unas ◯ **pequeñas colinas de arena** _____ es maravilloso tumbarse a tomar el sol.

Ver atardecer en la playa... y ver cómo las olas rompen en una ◯ **gran roca** _____ **está cortada casi verticalmente y es muy alta**... ¡es precioso!

Mi rincón favorito está en la montaña y es ◯**una pequeña caída de agua** _____ me gusta bañarme en verano. Allí arriba también hay un ◯**lugar muy bien situado** _____ **se puede contemplar el paisaje** y ver todo el pueblo y ◯ **una gruta** _____ no es raro encontrarse con exploradores.

Otro de mis rincones favoritos es la ◯ **parte más elevada de la montaña,** _____ se puede ver amanecer. Allí hay una ◯ **zona con muchos árboles** _____ a veces voy con mis amigos.

En un pequeño llano hay un ◯**camino estrecho** _____ me encanta montar en bicicleta.

Bueno; ya te cuento cuando vuelva. Un beso,

Sara

Ana González Moldes

C/ Santa Engracia, 124

28003 Madrid

c. Lee de nuevo la postal. ¿Qué cuadro crees que representa el pueblo de Sara? ¿Por qué? Coméntalo con tus compañeros.

d. Elige uno de los cuadros y escribe definiciones de cosas o lugares que se ven en él. Utiliza pronombres relativos como en el ejemplo.

Hay una cosa en la que puedes ir de un sitio a otro, que no contamina y con la que puedes hacer un poco de ejercicio.

1. _____

2. _____

3. _____

4. _____

5. _____

☺☺ **e.** Lee las frases a tu compañero. ¿Sabe qué palabras has definido? ¿Y a qué cuadro te refieres?

4.a. Unos turistas van a pasar unos días en Granada. Escucha la información sobre cómo llegar a los apartamentos en los que se alojan y señala si las afirmaciones son verdaderas o falsas.

	V	F
1. Todos los autobuses urbanos llegan a los apartamentos.		X
2. Hay taxis que llevan a los turistas hasta la puerta de su apartamento.		
3. Dos líneas de autobuses suben hasta el mirador de San Nicolás.		
4. El edificio de los apartamentos es blanco.		
5. Uno de nuestros agentes saldrá a recogerlos a la parada del autobús.		
6. Hay un bar en la plaza de San Nicolás.		

☺☺ **b.** Escribe en tu cuaderno la versión correcta de las afirmaciones falsas de 4.a. Compáralas con las de tu compañero, ¿coincidís?

5.a. TUVIAJE.COM ofrece estos dos destinos. Un virus informático ha hecho desaparecer algunas vocales del folleto. Corrígelo.

GUATEMALA
Tierra de selvas y volcanes

Duración: 11 días
Precio: 1.500 euros

Es un m a r a v i l l o s o destino, con su selva de d_f_c_l acceso y sus volcanes. Pr_c_ _s_s construcciones mayas, fr_nd_s_s paisajes y d_s_rt_c_s playas. ¡Descubre un país de gran belleza!

Itinerario:

Día 1. MADRID > CIUDAD DE GUATEMALA > LA ANTIGUA:
Llegada y traslado a La Antigua.
Alojamiento en hotel ****
Día 2. LA ANTIGUA:
Visita y cena.
Día 3. LA ANTIGUA > IXIMCHÉ > CHICHICASTENANGO:
Visita a las ruinas y llegada a Chichicastenango.
Alojamiento y cena. Hotel ****
Día 4. CHICHICASTENANGO > LAGO ATITLÁN:
Visita al típico y c_nc_rr_d_ mercado indígena.
Viaje rumbo al Lago Atitlán.
Alojamiento y cena. Hotel ****

Día 5. LAGO ATITLÁN > SANTIAGO > CIUDAD DE GUATEMALA:
Visita al p_nt_r_sc_ pueblo Tzutuhil de Santiago.
Regreso a Ciudad de Guatemala.
Alojamiento y cena. Hotel ****
Día 6. CIUDAD DE GUATEMALA > VOLCÁN PACAYA :
Ascensión a pie al volcán Pacaya, de escasa dificultad. Hotel ****
Días 7 – 11. CIUDAD DE GUATEMALA > MONTERRICO:
Avión con destino a Monterrico.
Hotel ****
Días libres para disfrutar de las s_l_t_r_ _s playas.
Día 11. MONTERRICO > ESPAÑA:
Llegada, fin del viaje.

Canarias
Paisajes infinitos

Duración: 12 días
Precio: 750 euros

Incluye:
Billete de i/v Madrid – Tenerife, Tenerife –
Lanzarote. Estancia en hotel**** y desayuno.
Alquiler de coche (para cada 4 personas).
Seguro de viaje.

Descripción:
Tenerife y Lanzarote. Dos maravillosas islas del
archipiélago canario, fruto de erupciones
volcánicas, de gran riqueza natural,
_sp_ct_c_l_r_s paisajes lunares, y preciosas
playas de aguas transparentes.

Tenerife (7 noches):
La isla ofrece un sinfín de ecosistemas,
paisajes y microclimas. Solitarias calas de
arenas negras en el norte y extensas playas
doradas en el sur, parajes volcánicos y
senderos llenos de encanto, en _nm_ns_s

espacios protegidos. Todo para disfrutar de la
naturaleza, como el impresionante y _l_g_nt_
Teide, con sus 3.718 m. de altura, y de sus
playas más t_r_st_c_s. Las ciudades de Santa
Cruz y La Laguna son dos ciudades _c_g_d_r_s
y bastante _n_m_d_s.

Lanzarote (4 noches):
Conocida como la Isla del Fuego, presenta un
paisaje lunar desértico, provocado por sus 300
volcanes que arrasaron campos y pueblos,
dando un aspecto rojizo a sus tierras, que
contrastan con sus pintorescas playas de
arenas blancas o negras, el azul turquesa de su
mar, la luminosidad de su sol y sus t_p_c_s
casas blancas.

b. Lee con atención las ofertas de 5.a. y señala si estas afirmaciones son verdaderas o falsas.

	V	F
a. En las Islas Canarias hay playas tan exóticas como en Guatemala.		
b. En el viaje de Guatemala se recorren tantos kilómetros como en el viaje de Canarias.		
c. Las playas negras de Tenerife son igual de conocidas que las de Lanzarote.		
d. El viaje a Guatemala está tan programado como el de Canarias.		
e. Las dos opciones permiten visitar zonas tanto urbanas como rurales.		

☺☺ **C.** Habla con dos o tres compañeros. ¿Qué viaje elegiríais? ¿Por qué?

d. Busca información sobre Cuba y Argentina. Compara la información que encuentres. ¿Es Cuba igual de grande que Argentina? ¿Tiene Argentina tantas provincias como Cuba?

1. _____
2. _____
3. _____
4. _____
5. _____

e. Elige uno de los dos países para irte de vacaciones 15 días. Escribe un correo electrónico a alguien para convencerlo de que vaya contigo. Justifica tu elección.

Nuevo mensaje
Enviar Chat Adjuntar Agenda Tipo de letra Colores Borrador
Para:
De:
Asunto:

¡Hola, ...! ¿Qué tal?

Si lo necesitas, puedes EXPRESAR DE OTRO MODO palabras que no conozcas en español para escribir este correo. Después, comenta con tus compañeros qué estrategias has utilizado y si te han ayudado.

6.a. Lee este artículo sobre la colorterapia e indica qué color o colores le conviene a cada persona.

Tu hogar
Consejos prácticos para transformar tu casa

Claves para pintar la casa

La colorterapia es un método cada vez más utilizado en los hogares. Los colores pueden provocarte sensaciones e influir en tu estado de ánimo. Esto se debe a que cada tono tiene unas propiedades específicas. El conocimiento de la colorterapia puede ayudarte a crear el ambiente que necesitas en cada habitación. Si decoras tu habitación de naranja, será más difícil que te deprimas. El rojo sirve para levantar el ánimo, y si pintas el despacho de este color, te hará ser más trabajador. Si estás nervioso, escoge el verde, el tono perfecto para personas hiperactivas o con tensión alta. El azul calma el dolor, ayuda a conciliar el sueño y a mejorar el descanso. Los amarillos densos son muy alegres y, por tanto, recomendables para zonas comunes. Por último, el gris es un color antiestresante que hace los problemas más llevaderos y está especialmente indicado para ambientes de trabajo.

Para más consultas, llamar al 902 733447.

A. Susana tiene la tensión muy alta y problemas de hiperactividad: *verde*

B. Alfonso y Paz padecen insomnio: _____

C. Mateo es muy perezoso: _____

D. Jorge está atravesando una depresión: _____

E. Natalia y Elena están agotadas por los exámenes y necesitan descansar:_____

F. Alejandro y Jaime están descontentos con el ambiente laboral: _____

b. Escribe qué aconsejaría la colorterapeuta a estas personas y explica el motivo.

A. Susana: *Es aconsejable que pintes tu casa de color verde, debido a que es el color perfecto para personas hiperactivas o con tensión alta.*

B. Alfonso y Paz: Es bueno que _____

C. Mateo: Lo mejor es que _____

D. Jorge: _____

E. Natalia y Elena: _____

F. Alejandro y Jaime: _____

7.a. Álvaro no se siente a gusto con el salón de su casa y ha decidido cambiarlo. Une las frases para conocer cómo es ahora.

A. Es un espacio bastante amplio;...   1. ...está en un rincón al lado de la puerta.

B. En las ventanas...   2. ...es gris oscuro.

C. En las paredes...   3. ...son de madera clásica con diferentes marrones y tostados.

D. La puerta...   4. ...hay tres cuadros de paisajes nevados.

E. El sofá...   5. ...hay un jarrón con flores secas.

F. La mesa y las sillas...   6. ...hay cortinas lisas de color verde claro.

G. Encima de la mesa...   7. ...los techos son bajos y las paredes están pintadas de amarillo.

b. Álvaro ha pedido ayuda a una decoradora. ¿Qué cambios le aconseja y por qué? Escucha la conversación y completa las frases.

1. *Debe colgar cuadros que sean distintos, porque, por culpa de ellos, el salón presenta un aspecto triste...*

2. Lo mejor es que el sofá _____

3. Probablemente sea mejor para él que _____

4. _____

☺☺ **c.** Dibuja el salón ideal de Álvaro según las indicaciones de la decoradora. Compáralo con el de tus compañeros para comprobar si tu interpretación de los consejos ha sido la misma que la de ellos.

8.a. Miguel nunca ha tenido buena salud. Observa los objetos del dibujo e imagina qué sentimientos le provocaban. Utiliza los verbos del recuadro.

- inquietar
- molestar
- ~~odiar~~
- preocupar
- estresar
- agobiar
- sentirse incómodo
- no gustar

Cuando Miguel era pequeño...

1. *...odiaba que el médico le recetara supositorios.*

2. _____

3. _____

4. _____

5. _____

b. Ahora, de mayor, Miguel se preocupa en exceso por cualquier cosa. Usa los verbos de 8.a. para hablar de sus obsesiones con respecto a su jefe, su novia, su mejor amigo y sus padres.

| • Fijarse en otros chicos | • No llamarlo para ir de copas | • Despedirlo |

1. *A Miguel le preocupa que su jefe lo despida.* _____

2. _____

3. _____

☺☺ **c.** Y a ti, ¿qué te molesta que hagan tu profesor de español, tu novio/a, tu mejor amigo, etc.? ¿Coincides con alguno de tus compañeros?

9.a. Los *remedios de la abuela* son pequeños trucos de siempre, transmitidos de generación en generación y, para muchos, igual o más eficaces que muchos medicamentos. Sigue las recetas para dar consejos a estas personas.

PROBLEMAS DE SALUD	RECETA	CONSEJO
¡Tengo la garganta fatal!	Hacer gárgaras con zumo de limón caliente con miel.	Sería bueno que hicieras gárgaras con zumo de limón caliente con miel.
¡Me acabo de quemar con la plancha!	Ponerse aloe con patata triturada sobre la quemadura varios días.	Lo mejor es que...
Ayer corrí 20 km y ¡tengo agujetas por todo el cuerpo!	Dejar macerar aceite con ajo una noche y darse masajes con ese aceite.	
¡No he parado de toser en toda la noche! ¡No he pegado ojo!	Poner la mitad de una cebolla sobre la mesilla de noche.	

b. Completa la tabla con otros remedios de la abuela que conozcas.

Problemas de salud	Receta	Consejo

☺☺ **c.** Lee los remedios a tus compañeros de clase. ¿Los conocen?

DESARROLLO DE ESTRATEGIAS

☺☺**10.a.** ¿Te han ayudado las estrategias PARA EXPRESAR LO QUE NO SABES DECIR EN ESPAÑOL?

❏ Mucho.
❏ Bastante.
❏ Nada.

b. ¿Utilizan tus compañeros alguna estrategia diferente para expresar lo que no saben decir en español? Anótalas.

_____

_____

_____

_____

☺☺ **c.** ¿Crees que esas estrategias pueden serte útiles también para aprender vocabulario nuevo en español?

_____

_____

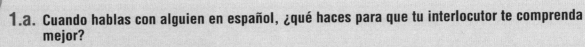

1.a. Cuando hablas con alguien en español, ¿qué haces para que tu interlocutor te comprenda mejor?

❑ Repito con otras palabras lo que creo que no ha quedado claro.

❑ Pido ayuda cuando no sé cómo expresar algo.

❑ Intento no cometer errores gramaticales.

❑ Hago preguntas para comprobar que me está entendiendo.

❑ Organizo las ideas de mi discurso.

❑ Otras cosas: _____

b. Observa la estrategia que utiliza Paul cuando tiene que hablar de su experiencia profesional en una entrevista de trabajo en español.

También me encargo del seguimiento del mercado para establecer planes de actuación para la empresa. Lo cierto es que pienso que, atendiendo a mi experiencia, podría obtener unos resultados MUY positivos en el puesto que ofrecen. Además, soy una persona a la que le ENCANTA trabajar en equipo, tengo MUCHA iniciativa y…

PARA QUE MI INTERLOCUTOR ME COMPRENDA MEJOR
Adapto la expresión de la cara, la entonación y los gestos de las manos y del cuerpo a lo que digo.

c. ¿En qué otras situaciones crees que puede ayudarte ADAPTAR LA EXPRESIÓN, LA ENTONACIÓN Y LOS GESTOS AL MENSAJE? Escríbelo.

_____

_____

d. En las situaciones del apartado anterior, ¿qué otras estrategias puedes utilizar para que tu interlocutor te comprenda mejor?

_____

_____

2.a. Tomás tiene mañana una entrevista de trabajo. Relaciona los elementos de la tabla y después escribe debajo de cada ilustración el consejo correspondiente.

no hacer	con naturalidad
desconectar	simpatía en todo momento
ponerse	el contacto visual con el entrevistador
no ir	con antelación
despedirse	una colonia agradable
ser	en vaqueros
llegar	el móvil
mostrar	con un apretón de manos
hablar	muchas preguntas
mantener	educado

1

Yo no iría en vaqueros.

2

Yo que tú...

3

Yo en tu lugar...

4

...

b. Elige tres compañeros de clase y fíjate en su carácter, forma de vestir... ¿Qué consejos les darías para una entrevista de trabajo? Escribe un consejo para cada uno.

Compañero 1: _____

Compañero 2: _____

Compañero 3: _____

☺☺ **C.** Lee los consejos a tus compañeros. ¿Les parecen acertados?

3.a. Completa los anuncios de esta empresa de trabajo temporal con el vocabulario del recuadro.

> • horas • _experiencia_ (x2) • sueldo • inmediata • media • contrato (x2) • fijo
>
> • jornada (x2) • ambiente • objetivos • completa • promoción • formación

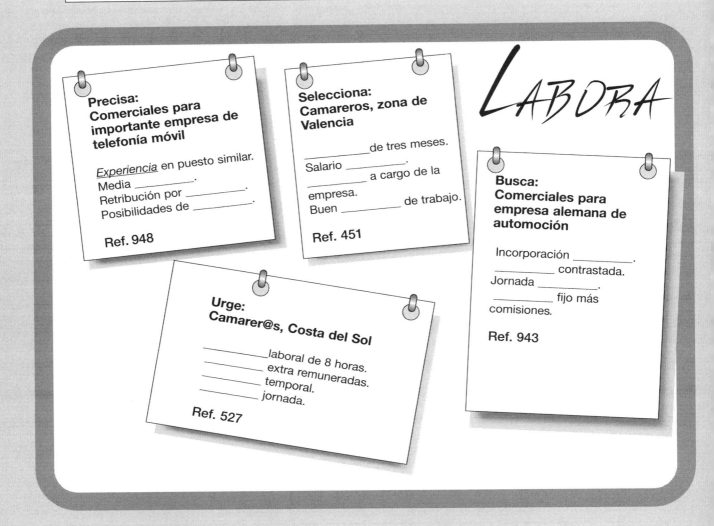

Precisa:
Comerciales para importante empresa de telefonía móvil

Experiencia en puesto similar.
Media _____.
Retribución por _____.
Posibilidades de _____.

Ref. 948

Selecciona:
Camareros, zona de Valencia

_____ de tres meses.
Salario _____.
_____ a cargo de la empresa.
Buen _____ de trabajo.

Ref. 451

LABORA

Busca:
Comerciales para empresa alemana de automoción

Incorporación _____.
_____ contrastada.
Jornada _____.
_____ fijo más comisiones.

Ref. 943

Urge:
Camarer@s, Costa del Sol

_____ laboral de 8 horas.
_____ extra remuneradas.
_____ temporal.
_____ jornada.

Ref. 527

b. Mateo y Sofía hablan sobre sus nuevos puestos de trabajo. Escucha la conversación y completa la tabla.

	Formación a cargo de la empresa	Tipo de contrato	Salario	Posibilidad de promoción	Jornada y horario	Otros
Mateo						
Sofía						

C. Repasa la información laboral de Mateo y Sofía y asocia sus trabajos con los anuncios correspondientes de Labora. Escribe las referencias.

Mateo: Ref. _____   Sofía: Ref. _____

☺☺ **d.** Completa la tercera fila de la tabla de 3.b. con datos sobre el trabajo de uno de tus compañeros. Cuéntaselo al resto de la clase; ellos tendrán que adivinar de qué trabajo se trata.

ADAPTA LA EXPRESIÓN DE LA CARA, LA ENTONACIÓN Y LOS GESTOS DE LAS MANOS Y DEL CUERPO para hacer la actividad 3d. Después, comenta con tus compañeros si crees que la estrategia te ha ayudado, o no, para hacer la actividad.

4.a. Relaciona las frases de la primera columna con su continuación lógica.

1	Mi compañero es un irresponsable, por eso…	…es complicado encontrar trabajo en una multinacional.	
2	Vivimos en un mundo laboral muy injusto ya que…	…tenemos un buen ambiente en la oficina.	
3	Nuestro jefe tiene muy buen humor, así que…	…los hombres ganan más que las mujeres.	
4	Últimamente trabajo demasiado y…	…la empresa gasta mucho dinero en aire acondicionado.	
5	Mi nivel de inglés no es muy bueno, por lo que…	…no puedo disfrutar de mi familia ni de mis amigos.	
6	Tengo un sueldo bastante bajo, con lo cual…	…el jefe nunca cuenta con él.	1
7	Como en la oficina hace un calor horrible…	…los no fumadores han dejado de quejarse.	
8	Han prohibido fumar en mi empresa, así que…	…no puedo independizarme.	

b. Transforma las frases de 4.a. para expresar condiciones irreales o improbables. Sigue el modelo.

1. *Si mi compañero fuera responsable, el jefe contaría con él.*
2. _____
3. _____
4. _____
5. _____
6. _____
7. _____
8. _____

c. **Piensa en tu experiencia como trabajador y completa estas frases.**

1. Si me ofrecieran unas buenas condiciones económicas, me cambiaría de trabajo.

2. _____, trabajaría los fines de semana.

3. Si tuviera la oportunidad de trabajar en el extranjero, _____

4. Si tuviera suficiente dinero para vivir bien, _____

5. _____

6. _____

5.a. **El departamento de Recursos Humanos de Bilding está realizando un proceso de selección. Escucha la conversación y señala el orden de aparición de las cinco preguntas que les hicieron a las dos últimas candidatas: Carlota y Lola.**

○ ¿Qué o quién le influyó a la hora de elegir su carrera?

○ ¿Piensa seguir ampliando sus estudios?

○ ¿Cuáles son sus expectativas profesionales?

① ¿Por qué ha estudiado Arquitectura?

○ ¿Por qué ha decidido cambiar de trabajo?

○ ¿Qué haría si tuviera conflictos con sus compañeros de trabajo?

○ ¿Por qué le interesa este puesto?

○ ¿Cuáles son sus puntos fuertes y sus puntos débiles?

○ ¿Podría hacerme un breve resumen de su currículum vítae?

○ ¿Cuánto le gustaría ganar?

○ ¿Qué valora más de un trabajo?

b. **Vuelve a escuchar la conversación y señala para cada una de las cinco preguntas de la entrevista, la respuesta de Carlota (C), la de Lola (L) y la que no corresponde a ninguna de ellas (Ø).**

①	Gracias a mi padre, la arquitectura ha estado siempre presente en mi vida.	L	De pequeña viajé mucho con mis padres y así descubrí pronto que lo mío era el arte.	Ø	Me apasiona pintar. Desde que era niña aprovecho cualquier minuto para dibujar.	C
②	Que la gente entienda y disfrute con mi trabajo.		Me encantaría llegar muy lejos, cuanto más lejos mejor.		Me gustaría tener mi propio despacho, ser independiente.	
③	Mi experiencia en el extranjero ha sido inmejorable, pero ahora tengo ganas de volver.		Estoy muy contenta, pero necesito sentirme más independiente.		No sabría decir por qué, pero ya he estado en el extranjero demasiado tiempo.	
④	Tengo siempre todo bajo control y soy muy sociable.		Soy muy exigente conmigo misma. Pero también exijo mucho a los demás, claro.		Me encanta trabajar en equipo y compartir ideas.	
⑤	Lo solucionaría. Cuando hay problemas en la oficina, baja el rendimiento y eso es malo.		Lo solucionaría. Un buen ambiente de trabajo es muy importante.		En el trabajo hay siempre mucho estrés y es normal que haya problemas.	

c. **Vas a escuchar algunas de las respuestas de Carlota. Rodea con un círculo las palabras que destacó con la entonación.**

1. Disfruto ⟨ mucho ⟩ trabajando en equipo.
2. Me encanta dibujar.

3. Me gusta muchísimo aprender.
4. Soy muy creativa.

☺☺ **d.** **En parejas, preparad una lista con posibles preguntas para una entrevista de trabajo. Elige algunas y házselas a tu compañero para que practique la entonación en sus respuestas.**

Si crees que puede serte útil, puedes ADAPTAR LA EXPRESIÓN DE LA CARA, LA ENTONACIÓN Y LOS GESTOS DE LAS MANOS Y DEL CUERPO para hacer esta actividad.

6. **En la oficina de Celia hay muchas cosas estropeadas. Fíjate en el dibujo y completa el correo electrónico que ha escrito al departamento de mantenimiento de su empresa.**

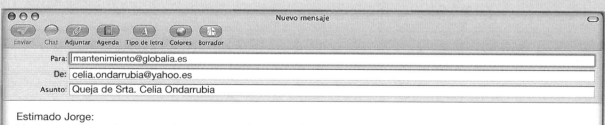

Para:	mantenimiento@globalia.es
De:	celia.ondarrubia@yahoo.es
Asunto:	Queja de Srta. Celia Ondarrubia

Estimado Jorge:
Muchas gracias por la conversación que mantuvimos ayer. Tal y como le prometí, le enumero las cosas que no me agradan de mi lugar de trabajo.
En primer lugar, necesito encontrar un ordenador que tenga todas las teclas, porque el que tengo ahora tiene varias que no funcionan. Además, me gustaría encontrar una lámpara que alumbrara más, porque la actual da muy poca luz y me resulta muy incómodo trabajar con ella.

7.a. Las cartas de presentación que acompañan al currículum vítae son breves y sus partes están muy establecidas. Sigue este esquema de carta y ordena los fragmentos que aparecen después. Elige los marcadores temporales correctos.

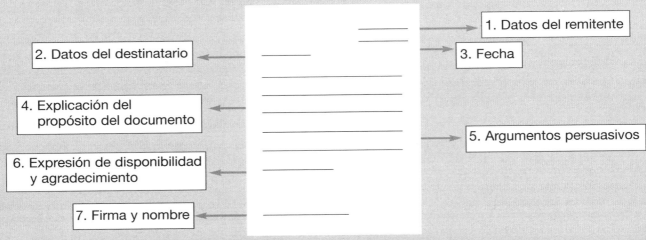

1. Datos del remitente
2. Datos del destinatario
3. Fecha
4. Explicación del propósito del documento
5. Argumentos persuasivos
6. Expresión de disponibilidad y agradecimiento
7. Firma y nombre

(Portocarrero, F. y N. Gironella: *La escritura rentable*, Madrid, SM, 2003)

Considero que mis dos años de experiencia en una empresa del mismo sector hacen que mi perfil se adapte al puesto de trabajo solicitado. _____ (**Por consiguiente/En cuanto**) al dominio del euskera y del inglés que tanto enfatizan, les informo de que mi condición familiar (hija de madre estadounidense y padre vasco) me ha permitido el conocimiento de ambas lenguas.

Ana Larrea Travesía de Portugalete, 16, 9° A	1	Sr. Alonso PORTAL 71 Alameda San Mamés, 37 – 5° Dpto. 4

_____ (**Por ello/Por ejemplo**), me pongo a su disposición para entrevistarme con ustedes y proporcionarles más detalles si lo consideran oportuno.
Un saludo cordial,

Bilbao, 24 de marzo de 2007		Ana Larrea *Ana Larrea*

Le incluyo esta carta junto con mi currículum vítae _____ (**en concreto/con respecto al**) anuncio que apareció en el periódico *Negocios* el pasado 20 de marzo.

---

b. Redacta en tu cuaderno la respuesta a este anuncio que ha aparecido en el periódico. Utiliza algunos marcadores del discurso: *por esta razón, por ejemplo, es decir, en otras palabras*, etc.

☺☺ **c.** En grupos de cuatro. Lee las cartas de presentación de tus compañeros y decide a quién contratarías para el puesto. Argumenta tu respuesta.

Monitores

Club infantil busca animadores y monitores infantiles para realizar todo tipo de actividades y talleres con niños. Buscamos personas serias y responsables, alegres y divertidas, a las que les guste trabajar con niños y que tengan experiencia.

Enviar C.V. Sr. Uñón, C/ Meléndez, 9, 37002 SALAMANCA

8.a. Lee las dos notas y escribe en cuál se incluyen elementos típicos de los textos FORMALES y en cuál de los INFORMALES.

> **a. En los textos** _____ encontramos frases largas y complejas, latinismos, léxico variado y especializado, expresiones cultas, oraciones pasivas, alusiones a autores o fuentes, etc.

> **b. En los textos** _____ encontramos información sencilla, exclamaciones, superlativos, expresiones coloquiales, puntos suspensivos, pronombres, imperativos, perífrasis verbales (*tener que* + infinitivo / *deber* + infinitivo), etc.

(Reyes, G: *Cómo escribir bien en español*, Madrid, Arco, 1998)

b. Lee esta información sobre los fines de semana de los jóvenes, escrito en un tono neutro. Después, marca en el inicio de las dos cartas los elementos que encuentres en ellas de los señalados en 8.a.

Los jóvenes españoles

En España los jóvenes se reúnen los fines de semana en lugares públicos para beber y conversar. Los precios de las copas en bares y discotecas son muy altos y los jóvenes se quejan de la falta de recursos para invertir su tiempo en otro tipo de ocio. Reclaman más infraestructuras deportivas y que las actividades, como el cine, el teatro y los conciertos, sean más económicos. Muchas comunidades autónomas creen que la solución está en sancionar a los menores que beban alcohol. Algunas direcciones de juventud de los ayuntamientos empiezan a ofrecer ocio nocturno alternativo los fines de semana (cursos, talleres, conciertos, teatro, etc.).

Nuevo mensaje

Para: Matt@sbc.com
De:
Asunto: El botellón

Querido Matt:
Me preguntas en tu email qué es eso del botellón de lo que tanto se habla últimamente. Pues nada, los chavales, hartos de pagar copas en los garitos, decidieron ya hace años comprar alcohol en los súper y quedar en los parques cercanos a la zona de marcha para beber. ¡Es que las copas están carísimas!

Expresión coloquial →

exclamaciones ↑

Zaragoza, 15 de enero de 2007

Estimado Sr. Director:

Me sentí abrumado al leer en su periódico que, según las estadísticas, unos 180.000 jóvenes se reúnen los fines de semana en diferentes lugares públicos de la geografía española con el fin de llevar a cabo lo que se ha denominado el fenómeno del botellón.

c. Elige una de las dos cartas de 8.b. y escribe en tu cuaderno la continuación. Utiliza la información que aparece escrita en el texto neutro.

😊😊 **d.** Busca en la clase a compañeros que hayan elegido la misma carta que tú. Comparad vuestros resultados y los elementos que habéis incluido en la carta para hacerla más o menos formal.

¿Crees que puede ser útil ADAPTAR LA EXPRESIÓN DE LA CARA, LA ENTONACIÓN Y LOS GESTOS DE LAS MANOS Y DEL CUERPO para hacer la actividad 8d? Si la utilizas, coméntaselo a tus compañeros.

9.a. Lee las afirmaciones que ha dicho Charly sobre su futuro y señala si son gramaticalmente correctas o no y por qué. Corrígelas cuando sea necesario.

1. El próximo año, me encantaría estudiar Veterinaria.

Correcta

2. Me gustaría que me permitirán estar en contacto con los animales durante la carrera.

3. Me gustaría que mis padres me dejar vivir en el campus de la universidad.

4. Me gustaría que las personas confiaran en mí para que cuidase de sus animales.

5. Me encantaría que abriría un centro de acogida de perros abandonados.

b. Completa la regla con INFINITIVO o con SUBJUNTIVO.

Cuando el verbo 1 GUSTAR, ENCANTAR, ALEGRAR, MOLESTAR, APETECER, etc., y el verbo 2 tienen el mismo sujeto, el verbo 2 va en _____.
Cuando el sujeto del verbo 1 y el sujeto del verbo 2 son distintos, el verbo 2 va en _____ y se une a la frase principal con "que".

c. Los años han pasado y Charly recuerda los sueños que no pudo realizar. Completa las frases.

Me _____ estudiar Veterinaria, pero como no me dio la nota, estudié Química.

Me _____ que me contrataran en una empresa farmacéutica especializada en medicamentos para animales, pero nunca me dieron esa oportunidad.

Me _____ abrir un centro de acogida de perros abandonados, aunque, como nunca tuve dinero...

d. Charly es ahora paseador de perros, una profesión corriente en ciudades de Argentina o Uruguay. Lee el texto e indica si las afirmaciones son verdaderas (V) o falsas (F).

	V	F
Los perros que pasea Charly están atados todo el tiempo para que vean correr a los otros por el parque.		X
El paseador de perros no solo los pasea, también los estimula y juega con ellos.		
Los perros cambian de itinerario y parques para que no se acostumbren siempre a la misma rutina.		
Los dueños contratan este servicio para que los perros hagan ejercicio y no se aburran mientras ellos trabajan.		

Cada mañana, Charly va a buscar a los perros a sus casas y, después de recogerlos a todos, los lleva al parque a jugar. Charlie tiene mucha experiencia. Las primeras semanas, los mantiene atados el tiempo necesario, hasta que observa que se han adaptado a él y a su grupo de perros. Cuando, después de un tiempo, el perro obedece sus órdenes, ya está listo para jugar libremente con los demás en el parque, —comenta Charly—.

Los paseos, dependiendo de donde viva el perro, duran entre dos y cuatro horas, y el recorrido siempre es el mismo.

Algunos salen dos veces por semana, otros lo hacen tres y otros, hasta todos los días, pero nunca menos de dos días, ya que, de lo contrario, el perro nunca terminaría de adaptarse y no haría suficiente ejercicio. Las personas que contratan este servicio trabajan muchas horas al día y no disponen apenas de tiempo para pasear con su perro.

(Inspirado en: www.misanimales.com)

☺☺ **e.** ¿Creéis que Charly ha visto cumplidos sus sueños? ¿Y vosotros?

● *Creo que le hubiera gustado trabajar de veterinario y no de paseador de perros.*

DESARROLLO DE ESTRATEGIAS

☺☺**10.a.** ¿Has puesto en práctica la estrategia de ADAPTAR LA EXPRESIÓN, LA ENTONACIÓN Y LOS GESTOS AL MENSAJE? ¿En qué situaciones te ha ayudado y en cuáles no? Escríbelo.

_____

_____

b. ¿Qué otras estrategias has utilizado para que tu interlocutor te comprenda mejor? Escríbelo.

_____

_____

☺☺ **c.** ¿En qué situaciones les parece útil a tus compañeros ADAPTAR LA EXPRESIÓN, LA ENTONACIÓN Y LOS GESTOS AL MENSAJE? ¿Qué otras estrategias utilizan para que su interlocutor les comprenda mejor?

_____

_____

1.a. **¿Cuáles de estos textos recuerdas haber leído o escrito en español?**

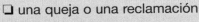

- ❏ un prospecto de un medicamento
- ❏ una queja o una reclamación
- ❏ un formulario de inscripción
- ❏ un currículum vítae o una carta de presentación

- ❏ un programa de viaje
- ❏ un test de personalidad
- ❏ una nota o un mensaje breve
- ❏ una factura

b. **¿Qué hiciste para leerlos o escribirlos? ¿Qué estrategias utilizaste?**

En una ocasión leí/escribí...	Lo que me ayudó a comprenderlo/escribirlo fue...

c. **Paul ha tenido un accidente laboral y tiene que rellenar un parte de acidentes. Observa las estrategias que utiliza. ¿Coinciden con alguna de las que has escrito en 1.b.?**

> Bien… Así que esto es un parte de accidentes en español. Está claro que me van a pedir todos mis datos y los de mi empresa. Después, tendré que dar detalles sobre cómo, dónde y cuándo ocurrió el accidente. ¿Qué significará "descripción de lesiones"? Seguro que es igual que "description of injuries" en inglés. ¡Qué curioso! Creo que esto aparece al principio en los partes ingleses y aquí aparece al final.

PARA AYUDARME A COMPRENDER Y ESCRIBIR UN TEXTO

- Identifico el tipo de texto.
- Utilizo los conocimientos que tengo de ese tipo de textos en mi lengua materna y en otras que conozco para inferir el contenido y su estructura.
- Comparo el texto en español (la estructura, las palabras y las expresiones) con el mismo tipo de texto en mi lengua materna y en otras lenguas que conozco.

☺☺ **d.** **¿En qué medida crees que las estrategias de Paul podrían ayudarte a comprender y a escribir este tipo de textos? Coméntalo con tus compañeros.**

2.a. En el *reality show* de TV "El *loft* de mi vida", ocho parejas compiten por conseguir el *loft* de sus sueños. Lee esta información sobre el concurso y completa el texto con las siguientes palabras.

> • portero   • calefacción   • buzón   • herramientas   • portal
> • ascensor   • recibos de la comunidad   • obras   • patio

Un concurso basado en la construcción y decoración de un *loft* de 300 m² se estrena en Telemanía. Ocho parejas compiten por conseguir el *loft* de sus sueños. Empezarán de cero, construirán las paredes necesarias, la fontanería, la instalación de la _____, y todo aquello que sea necesario para poder habitar el *loft* del último piso de un edificio con vecinos. Las parejas convivirán durante tres meses y solo tendrán relación con los vecinos y el _____. Como la casa estará en _____ durante el tiempo que dure el programa, las ocho parejas compartirán el apartamento del piso inferior. Habrá cámaras de TV que mostrarán su vida durante las 24 horas del día. Cada semana, el grupo recibirá un plan de trabajo. Podrán pedir prestadas las _____ necesarias al vecino del 2º, el cotilla del bloque. El vecino del 3º, que es arquitecto, les podrá ayudar con las dudas técnicas. Todas las semanas, cuando se cumpla la fecha límite para acabar el trabajo, entrará en el *loft* el presidente de la comunidad para evaluarlo. Si cumplen con el trabajo que se les pide, recibirán un dinero con el que tendrán que pagar los _____, y las facturas de agua. Además, el edificio contará con zonas comunes: un _____ para poder acceder a todos los pisos del edificio, un _____ ajardinado que tendrán que cuidar entre todos, etc. La pareja ganadora conseguirá el *loft* de su vida, valorado en 450.000 €, en la ciudad donde residan. Cada dos semanas, las parejas se nominarán entre ellas, depositando su voto en el _____ del _____. El público decidirá a través de sus votos telefónicos cuál de las parejas nominadas deberá abandonar el concurso. Las dos parejas más votadas serán las nominadas. En caso de empate, los vecinos decidirán, depositando su voto en el buzón, a qué pareja salvan.

(Adaptado de www.vertele.com)

b. Vuelve a leer el texto para señalar las opciones correctas.

1. Según el texto,
 a) los concursantes convivirán 24 horas al día durante tres meses.
 b) habrá cámaras que mostrarán las 24 horas de convivencia de los concursantes del *loft.*

2. El texto afirma que los concursantes...
 a) ...tendrán todas las herramientas que necesiten, contarán con la visita de un arquitecto y el presidente de la comunidad realizará inspecciones periódicas.
 b) ...podrán disponer de herramientas, pedir ayuda a un técnico cuando lo necesiten y recibirán una visita semanal del presidente de la comunidad.

3. El sistema de nominación establece...
 a) ...que, cada dos semanas, los vecinos del edificio nominarán a una de las parejas, depositando su voto en el buzón del portal.
 b) ...que el público decidirá cuál de las parejas nominadas deberá abandonar el concurso.

c. Imagina que eres el responsable de publicidad de Telemanía. Escribe en tu cuaderno un pequeño anuncio para dar a conocer este *reality show,* que pronto se emitirá en TV. Utiliza las palabras que aparecen en el recuadro de 2.a. y otras relacionadas con la vida en un edificio.

No dejes de ver "El loft de mi vida". El nuevo reality show...

☺☺ **d.** Lee los anuncios que han escrito tus compañeros y, entre todos, decidid cuál es el mejor para promocionar el programa.

3.a. Completa las frases que ha dicho el concursante "sabelotodo" a sus compañeros de "El *loft* de mi vida" con el conector que consideres adecuado.

e No, si los azulejos de la cocina no se van a caer, **a condición de que / siempre y cuando** los pongamos bien.

a Vale, vas a preparar la cena, ~~salvo que~~ / **siempre que** hayas bajado la basura.

b Creo que los vecinos se van a quejar del ruido de la obra, **a menos que / siempre** *que* dejemos de trabajar antes de las siete de la mañana.

f Ya os he dicho que el ascensor se va a estropear, **a no ser que / siempre que** lo protejamos con cartones.

c Pues a mí me parece dificilísimo nominar cada semana a una pareja. Bueno, **siempre y cuando / excepto que** esa semana, alguna de las parejas, no haya colaborado nada.

g Sería interesante que nombrásemos responsables de tareas de cocina, limpieza, lavado de ropa, etc., semanalmente, **salvo que / a condición de que** nos repartamos de forma justa estas obligaciones.

d Recordad que todas las semanas recibiremos el dinero que necesitamos para pagar las facturas, **a condición de que / salvo que** no hayamos cumplido con el plan de la semana.

☺☺ **b.** Los concursantes de "El *loft* de mi vida" deben desarrollar su capacidad de convivencia. El director del programa está redactando el decálogo de la *loftvivencia* con las normas básicas para los concursantes. En parejas, ayudadlo a terminar el decálogo. Incluid las condiciones y restricciones de las normas.

Decálogo de la Loftvivencia

1. Cada semana, <u>salvo que</u> el presidente lo notifique, una pareja distinta decidirá los grupos que se van a encargar de las tareas de construcción, de la limpieza, de las herramientas y de las comidas.

2. Los concursantes que quieran fumar podrán hacerlo, <u>siempre y cuando</u> lo hagan en el patio o en la terraza.

3. No se podrán recibir noticias del exterior (cartas, llamadas, mensajes…), <u>a menos que</u> los organizadores del concurso consideren que alguna de las parejas merece un premio.

4. _____
5. _____
6. _____
7. _____
8. _____
9. _____
10. _____

4.a. Estas son las presentaciones de cuatro de los ocho concursantes de "El *loft* de mi vida". Léelas para ver con cuál te identificas más.

SANDRA, la novia de Vicente, adora las plantas, las flores y los animales. Su sueño es tener un centro de acogida para perros. Odia el tabaco, es vegetariana y padece de insomnio desde que entró en el concurso.

DANIEL es el novio de Basilio. Tiene alergia a los animales y adora hablar y hablar. Tiene pánico al silencio. Lo sabe todo de todos. Tiene mucho carácter y no acepta bien las críticas. Es peluquero y se considera un artista.

FERNANDO entiende mucho de ordenadores y cables; es electricista. Necesita escuchar heavy metal las 24 horas del día para poder trabajar. Fuma como un carretero. Todo le parece mal, menos lo que propone Silvia, su mujer.

A SILVIA, le encanta cantar, hablar y bailar salsa. Es feliz organizando fiestas de disfraces, cocinando platos exóticos y haciendo fotos. Está feliz con su marido, porque la apoya en todo lo que piensa y hace.

b. Lee los siguientes comentarios y señala quién los ha hecho y a quién van dirigidos.

COMENTARIO	¿QUIÉN LO DICE?	¿A QUIÉN SE LO DICE?
1. Te ruego que no apagues las colillas en las plantas de la terraza, ¿sabes?		
2. ¿Cómo se te ha ocurrido meter en casa a ese gato? ¿Acaso se te ha olvidado que tengo alergia al pelo de los animales?		
3. Como estamos en Carnaval, ¿qué te parece si organizamos una fiesta y nos disfrazamos todos de hippies? Tú podrías encargarte de peinarnos a todos...		
4. ¡Qué borde! Mira que pedirme que baje el volumen de mi MP3. Tú tendrás problemas para dormir…, pero yo sin *Scorpions* tampoco puedo relajarme.		

☺☺ **c.** Fíjate en las características de los concursantes y anota en tu cuaderno otras cosas que pudieron proponer, aconsejar o exigir estos concursantes. Tus compañeros tendrán que adivinar quién lo dijo y a quién.

- *"Te aconsejo que seas más comprensivo y que no critiques tanto el trabajo de los otros. A mí me molesta que siempre estés fumando y no te digo nada."*
- ■ *¿Sandra se lo ha dicho a Fernando?*
- *Sí.*

5.a. El teléfono del hotel Chapuza no ha dejado de sonar. Asocia cada mensaje con el nombre de uno de los huéspedes: la señora Ironía, los señores Desatascador, el señor Friolero, los señores Ladrido y el señor Cotilla.

[13:57] _____
Sí, hola, le llamamos de la 33. El váter no funciona. Mi marido ha utilizado el baño y ahora estamos venga a tirar de la cadena pero… todo sigue ahí.

[12:52] _____
Hola, llamo de la 111, quiero encender la calefacción y no funciona. He dado al botón, pero no se enciende. Sé que estamos en pleno verano, pero… ¿puede mandar a alguien para que la arregle?

[12:50] _____
Oiga, solo por curiosidad, ¿podría decirme cuántas personas hay alojadas en el hotel en este momento y el nombre de un actor con el que me he cruzado en el pasillo? Llamo de la 122.

[14:27] _La señora Ironía_
Sí, mire, buenos días. Llamo de la habitación 205. ¿Puede decirme si las telarañas de las paredes están incluidas en el precio?

[12:35] _____
Buenos días, le llamo de la 206. Hemos venido a este hotel porque no admitían animales y resulta que los perros de la 205 no nos dejan dormir. O sacan esos animales del hotel o nos devuelven el dinero.

b. Este es el parte de incidencias de llamadas que tiene que rellenar el recepcionista del hotel. Completa las columnas centrales con los datos de 5.a. y asocia cada mensaje con su hora y respuesta correspondiente.

PARTE DE INCIDENCIAS				**Fecha:** Lunes 24 de noviembre
Hora	**Habit.**	**Nombre**	**Incidencia**	**Respuesta**
Sobre las doce y media.	206	Sres. Ladrido	❏ ha pedido/solicitado ❏ ha preguntado ☒ ha explicado ❏ ha exigido que habían elegido este hotel porque no admitían animales y que resulta que los perros de la 205 no les dejan dormir.	Les he explicado que antes era cuando no se admitían perros en el hotel, pero que con el cambio del equipo directivo, los estatutos del hotel se habían modificado.
Un cuarto de hora más tarde.			❏ ha pedido/solicitado ❏ ha preguntado ❏ ha explicado ❏ ha exigido _____ _____	Le he respondido que no podía satisfacer su curiosidad y que lo sentía, pero que el famoso actor nos había pedido la máxima discreción.
Inmedia-tamente después.			❏ ha pedido/solicitado ❏ ha preguntado ❏ ha explicado ❏ ha exigido _____ _____	Le he comentado que es central y que no funciona en agosto. Sin embargo, le he sugerido que, si tiene frío, apague el aire acondicionado.
A eso de las dos.			❏ ha pedido/solicitado ❏ ha preguntado ❏ ha explicado ❏ ha exigido _____ _____	He solicitado al personal de mantenimiento que vaya a arreglar la avería lo antes posible.
Una media hora después.			❏ ha pedido/solicitado ❏ ha preguntado ❏ ha explicado ❏ ha exigido _____ _____	Le he pedido que disculpase a las camareras de planta y he llamado a la responsable de limpieza para que lo solucionase inmediatamente.

6.a. Francisco está muy enfadado porque aún no puede instalarse en su nueva casa. Ha decidido contárselo a su hermano. Elige la opción correcta.

Carlos, estoy muy enfadado, hace dos meses que **di / doy** de alta la luz y aún no **he recibido / recibí** ninguna respuesta. ¡Es una vergüenza! Me dijeron que tardarían tres días.

No hay derecho a que **tenga / tengo** que andar llamándolos para recordarles que aún no me han dado de alta el servicio.

¿Qué? Me parece lamentable que **haya / hay** en Cáceres empresas así.

Espera un momento. ¿Quién es el **titular / dueño** del contrato? No estará aún a nombre del anterior dueño, ¿verdad?

No, no… El contrato está a mi nombre; incluso tuve que pagar una fianza por la **domiciliación / contratación** del servicio; vaya, ¡un escándalo!

El problema es que ya **domiciliaba / he domiciliado** los pagos en el banco que trabaja con ellos; fue lo primero que hice. Ahora solo puedo exigir que me **devuelvan / devuelven** el dinero y hacer una segunda **demanda / reclamación**, pero esta vez por escrito.

Oye, Francisco, ¿y no se te ha ocurrido quejarte y **renunciar / reclamar**? Yo que tú, daría de **baja / alta** el servicio y buscaría otra empresa más eficaz; lo tengo clarísimo.

Sí, sí… Es lo mejor que puedes hacer. Ah, y solicita que te **dan / den** en el banco una copia de la transferencia en la que consta la cantidad de la fianza. No se puede comprender lo mal que **funcionan / funcionen** algunas empresas.

b. Señala si las afirmaciones son verdaderas o falsas.

	V	F
1. Francisco ha pagado una fianza escandalosa por la contratación de un servicio doméstico.		X
2. Carlos le aconseja que domicilie la factura de la electricidad en otro banco.		
3. Francisco no puede instalarse en su nueva casa porque aún no tiene luz.		
4. Carlos anima a Francisco para que dé de baja el servicio que solicitó hace dos meses.		
5. Francisco va a exigir que le devuelvan el dinero que le pidieron de fianza.		
6. Francisco realizó hace dos meses una reclamación por teléfono, pero no le hicieron caso.		

C. Lee los fragmentos pertenecientes a la reclamación que Francisco ha escrito a la compañía eléctrica e inclúyelos en el apartado correspondiente del modelo de reclamación.

MODELO EUROPEO DE INSTANCIA
PARA LAS RECLAMACIONES

Reclamación presentada por: _____
Contra: _____
Problemas planteados: _____
Circunstancias de los hechos: _____
Reclamación del consumidor: _____

ⓐ Exijo que me devuelvan los 100 euros de fianza que pagué al contratar el servicio y que me den de baja de su empresa, ya que he decidido buscar otra compañía eléctrica. Espero su respuesta y les comunico que, si no recibo ninguna información en un plazo prudente, me veré obligado a emprender acciones legales contra la empresa.

¿Qué conocimiento tienes de este tipo de textos en tu lengua materna y en otras lenguas? Reflexiona con tus compañeros sobre su estructura y haz una lista con las palabras y las expresiones que pueden estar presentes.

ⓔ Hace dos meses que contraté con su empresa el servicio de luz para mi nueva casa. Como tardaban mucho en darme de alta el servicio, puse una reclamación telefónica, pero tampoco obtuve respuesta de ningún tipo. Me dijeron que tardarían muy pocos días, pero sigo esperando. Tuve que pagar 100 euros de fianza por el servicio y domicilié los pagos en el banco con el que trabajan ustedes habitualmente.

ⓒ Francisco Ochoa Redondo

ⓑ LUZIUDAD. EMPRESA SITUADA EN C/ LARIOS 4-4º B, 45570 CÁCERES

¿Crees que la reflexión y comparación previa sobre las características de este tipo de textos en otras lenguas te ha ayudado a realizar el ejercicio 6c. con más facilidad? Coméntalo con tus compañeros.

ⓓ Necesito con urgencia una respuesta a la reclamación telefónica que realicé con referencia al servicio eléctrico que contraté con ustedes para mi nueva casa. Creo que es responsabilidad suya darme una solución inmediata a este problema. Estoy pensando en darme de baja en su empresa y buscar otra que me atienda más eficazmente.

d. Carlos Gutiérrez ha contratado en Telefomsa la línea telefónica y dos teléfonos para su casa. Ha pagado una fianza de 150 € y sigue sin línea. Lleva dos semanas esperando que un técnico se la instale. Utiliza esta información y completa la instancia según el modelo europeo de reclamaciones.

Exijo que se pongan en contacto con el banco para que me devuelvan los 150 euros de fianza por la contratación del servicio. Espero una respuesta en un plazo prudente; si no, me veré obligado a actuar por la vía judicial.

TELEFOMSA. EMPRESA SITUADA EN C/ LA LUZ 1-1º C 35560 BADAJOZ

MODELO EUROPEO DE INSTANCIA PARA LAS RECLAMACIONES

RECLAMACIÓN PRESENTADA POR: _____
CONTRA: _____
PROBLEMAS PLANTEADOS: _____
_____
CIRCUNSTANCIAS DE LOS HECHOS: _____
_____
RECLAMACIÓN DEL CONSUMIDOR: _____
_____
_____

C/ La luz 1-1º C
35560 Badajoz

7.a. Violeta ha llegado de un viaje de fin de semana y se ha encontrado algunos desperfectos en su casa. Ha llamado a la empresa de seguridad porque han entrado los ladrones, al no funcionar la alarma correctamente. Escucha y completa la tabla.

1. ¿Cómo se llama la empresa?	2. ¿Quién le atiende?	3. ¿Qué segunda consulta hace el cliente?
4. ¿A qué se dedica?	5. ¿Qué le propone la persona que le atiende?	6. ¿Qué decide hacer Violeta?
7. ¿Cuál es el motivo de la llamada?	8. ¿Cuál es la clave del cliente?	9. ¿Cuál es el desenlace de la conversación?

b. Escucha ahora a una vecina de Violeta que fue testigo de los hechos. Fíjate en los verbos que emplea y escribe la frase correspondiente.

quedarse: *La urbanización se quedó a oscuras.*　romperse: _____

apagarse: _____　escaparse: _____

caerse: _____　mancharse: _____

pararse: _____　tropezarse: _____

irse: _____　salirse: _____

mojarse: _____　estropearse: _____

☺☺ **c.** Comprueba con tu compañero las soluciones y fijaos en las dos estructuras distintas con SE que aparecen en los ejemplos. ¿A qué responden?

d. Escribe frases en las que utilizamos el llamado SE de involuntariedad. Si quieres, puedes utilizar las siguientes expresiones.

> • acabarse la conversación • perderse las llaves de casa • escaparse los pájaros de la jaula
> • terminarse la batería del móvil ✓ • pasarse el enfado • morirse una planta • arrugarse la ropa

Se me terminó la batería del móvil mientras hablaba contigo.

1. (Yo) _____

2. (Tú) _____

3. (Él/Ella/Usted) _____

4. (Nosotros/Nosotras) _____

5. (Vosotros/Vosotras) _____

6. (Ellos/Ellas/Ustedes) _____

8.a. Escucha estos trabalenguas sobre problemas vecinales y señala cuáles son los sonidos que se repiten.

Juan me sugirió que juntara todas las sugerencias tratadas en la junta y eligiera lo más justo. Yo le dije que, en conjunto, las tejas rojas eran lo mejor para que el tejado conjuntara con el conjunto de la comunidad.

1. Sonido repetido: _____

A Pablo le resulta inaceptable que el problema de los cables sean los fusibles. Y a la vez alega que es intolerable e inadmisible que el contable no hable de estas notables dificultades con la totalidad de los vecinos.

2. Sonido repetido: _____

Ramón repitió que dar de alta el gas era ridículo cuando recientemente se habían roto los contadores, y cuando, en raras circunstancias, se había reventado el motor del ascensor.

3. Sonido repetido: _____

b. Ahora repítelos tú. ¿Qué sonido te resulta más fácil de pronunciar? ¿Y cuál más difícil?

☺☺ **c.** En parejas, pensad en sonidos que os resulten difíciles de pronunciar. Inventad un trabalenguas con esos sonidos y con vocabulario de esta unidad. Tus compañeros deberán leerlo en voz alta.

DESARROLLO DE ESTRATEGIAS

9.a. ¿Qué estrategias has utilizado para COMPRENDER Y ESCRIBIR LOS TEXTOS de esta unidad? ¿Te han resultado útiles?

TEXTO Y OBJETIVO	ESTRATEGIA(S) QUE HE UTILIZADO	Resultados	
		☺	☹
Comprender el artículo *Conflictos vecinales...* del libro del alumno.			
Comprender la reunión de vecinos de Fernando el Católico y corregir el acta.			

☺☺ **b.** Compara tus respuestas de 9.a. con las de tus compañeros. ¿Habéis utilizado las mismas estrategias para los mismos textos? ¿Hay alguna que os haya resultado a todos especialmente útil?

☺☺ **c.** ¿Con qué tipo de textos creéis que pueden ser más útiles las estrategias de Paul para COMPRENDER Y ESCRIBIR UN TEXTO?

B
MÓDULO

1.a. Cuando tienes que aprender una nueva estructura gramatical en español, ¿haces alguna de estas cosas?

	Nunca o casi nunca	Alguna vez	Con frecuencia
Hago ejercicios escritos que tengan muchas frases para practicar la nueva estructura.			
Pienso cómo se expresa lo mismo en mi idioma y en otras lenguas que conozco y comparo las estructuras.			
Busco información sobre la estructura en libros de gramática.			
Otras cosas: _____			

b. Observa a Paul aprendiendo una estructura gramatical nueva. ¿Alguna vez has utilizado tú esa estrategia?

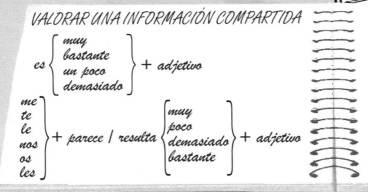

> Estas estructuras sirven para valorar una información compartida. Yo ya sabía expresiones para hacer esto…
> Sí, yo antes decía, por ejemplo, "me parece injusto". Pero ahora hay expresiones nuevas. Voy a agrupar todas las estructuras que conozco para valorar una información compartida.
> Eso me ayudará a recordarlas mejor y además me servirá para repasar.

(A mí) me parece
(Yo) veo
(Yo) creo que es
(Yo) considero
(Para mí) es

(in)justo
una tontería

que +
subj.

No me parece bien que la gente compre discos piratas.

VALORAR UNA INFORMACIÓN COMPARTIDA

es { muy / bastante / un poco / demasiado } + adjetivo

me / te / le / nos / os / les } + parece / resulta { muy / poco / demasiado / bastante } + adjetivo

(Yo) veo
(Yo) creo que es
(Yo) considero
} + adj. / sust. + que + subj.

Considero una tontería que digas que la belleza es lo más importante.
Veo conveniente que hable con ella.

☺☺ **C.** Paul utiliza la estrategia de ASOCIAR LAS ESTRUCTURAS GRAMATICALES NUEVAS A OTRAS CONOCIDAS QUE SIRVEN PARA EXPRESAR LO MISMO. ¿Has utilizado esta estrategia? ¿Crees que puede ser útil? Coméntalo con tus compañeros.

2.a. **Romina y Freddy son dos estudiantes que se han encontrado una agenda. Fíjate en el dibujo, lee lo que han dicho sobre su posible dueño y, después, escribe las hipótesis que crees que ha podido hacer el resto de sus compañeros cuando la han visto antes de empezar la clase.**

Antes de hacer este ejercicio, AGRUPA LAS ESTRUCTURAS Y EXPRESIONES QUE CONOCES PARA EXPRESAR DIFERENTES GRADOS DE PROBABILIDAD.

Seguro que el dueño de la agenda es un guía turístico y tiene que recoger a estos turistas brasileños, alemanes…

Tal vez sea una mujer, no lo sabemos.

Lo mismo es un taxista y ha quedado en recoger a Olga y a Ricardo en la línea 10 de metro.

Seguramente trabaja en una agencia de viajes.

Posiblemente _____

Quizá _____

A lo mejor _____

Puede ser _____

b. **Y tú, ¿de quién crees que es la agenda? Escribe cinco hipótesis utilizando distintas fórmulas.**

1. Probablemente _____
2. Es posible que _____
3. _____
4. _____
5. _____

Añade a las estructuras y expresiones que has agrupado en 2.a. las ESTRUCTURAS Y EXPRESIONES NUEVAS que aparecen en esta unidad PARA EXPRESAR DIFERENTES GRADOS DE PROBABILIDAD. Compáralo con tus compañeros. ¿Os ha resultado útil esta estrategia?

3.a. Esta mañana Yuki, la secretaria de la escuela, le ha contado algunas cosas a Freddy. Completa el diálogo (con la forma del presente de indicativo o de subjuntivo según corresponda), para descubrir quién es el personaje enigmático de 2.a.

• conocer	• llegar (x 2)	• tener
• llamar	• saber	• ser (x 2)
• estar (x 3)	• venir	• haber

Yuki: ¿Qué tal las clases de español, Freddy? ¿_____ contento?

Freddy: Sí, muy contento; estoy aprendiendo un montón.

Yuki: ¿Qué profesor _____ ahora?

Freddy: Ahora, Mónica Prado.

Yuki: Ah, es verdad, que desde hace dos meses Paco Ortiz _____ el coordinador de la escuela y no da clases porque _____ muy ocupado.

Freddy: Me han dicho que la semana que viene _____ estudiantes nuevos.

Yuki: Sí, sí, de varios países distintos.

Freddy: ¿_____ si van a cambiarnos de profesor cuando _____ los nuevos estudiantes?

Yuki: No tengo ni idea. A lo mejor Paco _____ a Olga y a Ricardo, que son dos profesores que _____ a dar clase cuando _____ más trabajo de lo habitual.

Freddy: ¿Y estos estudiantes van a quedarse mucho tiempo?

Yuki: Creo que del quince de abril al quince de mayo. Pero… no sé, pregúntale a Paco, porque toda esta información la _____ él.

Freddy: Oye, ¿sabes si Paco ha perdido esta mañana su agenda? Es que Romina y yo nos hemos encontrado una y ahora recuerdo que había anotaciones de estudiantes extranjeros y que hablaba del 15 de mayo…

Yuki: No lo sé; es posible que _____ suya, se lo voy a preguntar, aunque es probable que no _____ en su despacho, porque es bastante tarde.

b. Yuki nos ha contado más cosas sobre Paco Ortiz. Completa la tabla con las hipótesis más convenientes en cada caso. Ten en cuenta si las hipótesis son sobre algo que sucede en el presente o sobre algo que ya ha sucedido.

Esta semana Paco le ha dicho a la secretaria que el trabajo le impide dormir bien.	*Le habrá mentido para hacerse el importante.*
Últimamente no sale a tomar café.	
Lleva dos semanas sin ponerse gafas.	
Es la segunda vez que pierde la agenda en un año.	
Ha dejado de hablar de su novia Teresa.	

c. ¿Has notado algún comportamiento extraño en alguno de tus compañeros o en tu profesor últimamente? Cuéntaselo al resto de la clase y haced hipótesis entre todos.

● *Yo he notado que últimamente Kathrin está muy contenta.*

▲ *Estará enamorada.*

UNIDAD 6

4.a. Escribe una solución para cada uno de estos acertijos.

Ⓐ

Algunos meses tienen 31 días, otros solo 30. ¿Cuántos tienen 28 días?

Ⓑ

Dos padres y dos hijos fueron a pescar. Pescaron tres peces y les tocó un pez a cada uno. ¿Cómo pudo ser?

Ⓒ

Un hombre fue a una fiesta y bebió algo de ponche. Después se marchó pronto. El resto de los invitados que bebieron el ponche murieron a continuación envenenados. ¿Por qué no murió el hombre?

Ⓓ

El otro día Miguelito consiguió apagar la luz de su dormitorio y meterse en la cama antes de que la habitación quedase a oscuras. Hay tres metros desde la cama al interruptor de la luz. ¿Cómo pudo apañárselas?

Ⓔ

Tres señoras realmente gordas paseaban por un camino debajo de un paraguas de tamaño normal. ¿Cómo es posible que no se mojaran?

Ⓕ

A una chica se le cayó un pendiente dentro de una taza de café, pero el pendiente no se mojó. ¿Por qué?

(Información extraída de http://acertijos.net/lateral.htm)

☺☺ **b.** ¿Qué soluciones has pensado para cada acertijo? Léeselas a tu compañero; él tendrá que reaccionar.

● *Para el acertijo A he pensado que febrero es el único mes que tiene 28 días.*

▲ *¡Qué va! Todos tienen 28, lo que ocurre es que la mayoría tiene más.*

5.a. Relaciona las dos columnas.

● una orden   ○ un crimen/un delito
● un intento   ○ a un ladrón
● el abogado   ○ pide un rescate para liberar a las víctimas
● celebrarse   ○ una coartada
● apresar   ○ un banco
● cumplir   ○ a la fuga
● cometer   ○ de detención
● atracar   ○ un juicio
● el secuestrador   ○ defiende al sospechoso ante el tribunal
● tener   ○ de asesinato
● darse   ○ una condena/una pena de tres años por robo

AGRUPA TODAS LAS PALABRAS Y EXPRESIONES QUE CONOCES PARA CONTAR UN SUCESO. ¿Crees que esta estrategia puede ayudarte también a aprender y recordar vocabulario nuevo? Coméntalo con tus compañeros.

b. Escucha el programa de radio *Sucesos sucedidos*. La locutora resume los tres sucesos más destacados de la semana. Organízalos según el orden en el que aparecen.

Darse a la fuga puede aumentar la pena
Suceso n° _____

Desayuno sin diamantes
Suceso n° _____

En abril dulce dormir
Suceso n° _____

☺☺ **c.** Vuelve a escuchar *Sucesos sucedidos*. Elige uno, escúchalo de nuevo, toma nota de lo que oyes y, después, reconstruye la noticia con tu compañero.

6.a. Vas a escuchar dos veces cada una de estas palabras. Indica en el círculo correspondiente la sílaba acentuada (solo una por palabra), es decir, la que se pronuncia con mayor énfasis.

es-trés	○●	la-drón	○○	ar-tí-cu-lo	○○○○
re-lám-pa-go	○○○○	or-den	○○	hos-pi-tal	○○○
a-tra-car	○○○	mé-di-co	○○○	víc-ti-ma	○○○
ca-dá-ver	○○○	es-cán-da-lo	○○○○	be-bé	○○
cár-cel	○○	pis-to-las	○○○	con-de-na	○○○

b. Pronuncia las palabras de 6.a. prestando atención al gráfico que has hecho para cada una de ellas.

c. Clasifica ahora las palabras de 6.a. en la siguiente tabla.

Palabras agudas	Palabras llanas	Palabras esdrújulas
Tienen la **fuerza** de entonación en la **1ª sílaba** empezando a contar por el final de la palabra.	Tienen la **fuerza** de entonación en la **2ª sílaba** empezando a contar por el final de la palabra.	Tienen la **fuerza** de entonación en la **3ª sílaba** empezando a contar por el final de la palabra.
④ ③ ② ❶	④ ③ ❷ ①	④ ❸ ② ①

d. Escucha unas palabras y clasifícalas en esta tabla prestando atención a la sílaba en la que está la fuerza de entonación. Después, sigue las reglas que aparecen en cada columna y decide qué palabras llevan tilde y cuáles no.

Palabras agudas	Palabras llanas	Palabras esdrújulas
④ ③ ② ❶	④ ③ ❷ ①	④ ❸ ② ①
Llevan tilde cuando acaban en N, S o VOCAL.	Llevan tilde cuando NO acaban en N, S o –VOCAL.	Llevan tilde SIEMPRE.

¿Crees que AGRUPAR TODAS LAS REGLAS DE ACENTUACIÓN puede ser útil para aprenderlas o para recordarlas? Coméntalo con tus compañeros.

7.a. Aprender y enseñar idiomas es una tarea fácil para algunos y difícil para otros. Lee estas opiniones y relaciónalas con Felicidad, "la profesora optimista", o Angustias, "la profesora pesimista".

	F	A
1. En *Educabien* disponemos de un fantástico método de enseñanza; si deseas más información pídenosla. Si no la tenemos, la buscaremos y la encontraremos.	X	
2. Dudo que vaya a seguir aumentando la demanda de estudiantes de idiomas en el mundo.		
3. Cada vez más padres y madres están interesados en enviar a sus hijos a un colegio bilingüe; ojalá siga subiendo el número de matrículas en este tipo de centros.		
4. Gracias a la proyección que está teniendo el español, pronto logrará convertirse en una lengua con un peso internacional de gran importancia.		
5. Como siga aumentando la oferta de cursos en Internet, muchos profesores van a ir al paro.		

b. Escribe de nuevo la información de 7.a. utilizando los conectores del discurso que consideres más adecuados.

CONECTORES DEL DISCURSO

- aunque
- a pesar de
- sin embargo
- no obstante
- debido a

- por lo tanto
- por el contrario
- en cambio
- así mismo
- o sea

- es decir
- del mismo modo
- así que
- de modo que

1. En Educabien disponemos de un método revolucionario para enseñar idiomas, o sea, que si deseas más información, pídenosla. Si no la tenemos, la buscaremos y la encontraremos.

2. _____

3. _____

4. _____

5. _____

☺☺ **c.** ¿Cuál es tu opinión acerca de este tema? Habla con tu compañero y elegid el conector adecuado; después escribe en tu cuaderno un final para cada una de estas frases. ¿Consideras la postura de tu compañero positiva o negativa?¿Por qué?

A pesar de que los expertos aún están descubriendo varios idiomas…

En el caso de la universidad, la mejor recomendación es dar por supuesto el conocimiento de otro idioma, **de modo que…**

Es indispensable para la mayoría de nosotros conocer bien otra lengua, **así que…**

Aunque está demostrado que la inmensa mayoría de la población mundial tiene capacidad de hablar más de una lengua…

8.a. Los textos argumentativos en español (cartas al director, etc.) poseen una estructura especial. Lee este texto acerca de la letra "ñ" y relaciona los párrafos con sus partes correspondientes.

TERCER ARGUMENTO

INTRODUCCIÓN: ANUNCIO DEL TEMA

TRANSICIÓN Y RESUMEN

CONCLUSIÓN

SEGUNDO ARGUMENTO

PRIMER ARGUMENTO

La eñe también es gente

A continuación vamos a tratar la importancia de la Ñ para el español.

Para empezar, la culpa es de los gnomos, que nunca quisieron ser ñomos. Culpa tienen la nieve, la niebla, los nietos, los atenienses, el unicornio. Todos evasores de la Ñ. ¡Señoras, señores, compañeros, amados niños! ¡No nos dejemos arrebatar la Ñ!

En segundo lugar, ya hemos perdido los signos de apertura de admiración e interrogación. Y como éramos pocos la abuelita informática parió un monstruoso # en lugar de la Ñ, con su gracioso peluquín. ¿Quieren decirme qué haremos con nuestros sueños? Entre la fauna en peligro de extinción, ¿figuran los ñandúes? ¿Qué será del Año Nuevo? ¿Y cómo escribiremos la más dulce consonante de la lengua guaraní? "La ortografía también es gente", escribió Fernando Pessoa. Y, como la gente, sufre discriminaciones.

En lo que se refiere a signos, hay signos y signos, unos blancos, altos y de ojos azules, como la W o la K. Otros, pobres y morenos, como esta letrita jamás considerada. A barrerla, a borrarla, a sustituirla de las maquinitas, solo porque la Ñ da un poco más de trabajo. Esta letra española es, quizás, un defecto más de los hispanos. Nada de hondureños, salvadoreños, caribeños, panameños.

En definitiva, sigamos siendo dueños de algo que nos pertenece, esta letra con sombrero, algo muy pequeño pero menos ñoño de lo que parece. Algo importante, algo propio y compartido. No faltará quien ofrezca soluciones absurdas: escribir ninio, suenios, otonio. Fantasía inexplicable que ya fue y que preferimos no reanudar, salvo que la Madre Patria retroceda y vuelva a llamarse Hispania.

Para concluir, la supervivencia de esta letra nos atañe, sin distinción de sexos, credos ni programas informáticos. Luchemos por no añadir más leña al fuego sobre el debate de nuestro discriminado signo.

(Inspirado en un texto de María Elena Walsh, *La Nación*, 1996.)

b. Realiza el análisis del texto argumentativo que has leído.

1. Subraya las ideas principales.

2. Título: _____

3. Tema: _____

4. Argumentos: *En el texto encontramos tres argumentos, en los que la autora* _____

_____

_____

5. Conclusión: *Resume brevemente que, como hablantes de español, debemos intentar conservar*

la letra Ñ y que _____

_____

c. Clasifica las siguientes expresiones que usamos para organizar los textos argumentativos. Algunas expresiones pueden utilizarse en distintas partes de la argumentación.

INTRODUCCIÓN (ANUNCIO DEL TEMA)	PRIMER ARGUMENTO	SEGUNDO ARGUMENTO	TERCER ARGUMENTO	TRANSICIÓN Y RESUMEN	CONCLUSIÓN
A continuación					

- A continuación
- En primer lugar
- Por una parte
- En resumen
- Para concluir
- Voy a hablarles
- Seguidamente
- Así pues, para resumir
- Para empezar

- Cabe añadir
- Para terminar
- En definitiva
- Voy a hablarles
- En lo que se refiere a
- Por otra parte
- En segundo lugar
- Todo esto nos lleva a concluir

☺☺ **d.** Pensad, entre todos, en temas de actualidad sobre los que se podría escribir un texto argumentativo. Seleccionad los tres que os resulten más interesantes. Escoge uno y escribe un texto argumentativo siguiendo el esquema presentado en 8.a.

9.a. La quiromancia es el arte de leer las manos y de conocer así rasgos de la personalidad. Observa tu mano izquierda y señala cómo es.

- ☐ mano larga
- ☐ mano mediana
- ☐ mano corta
- ☐ mano muy corta

- ☐ mano caliente
- ☐ mano fría
- ☐ mano seca
- ☐ mano húmeda

- ☐ uñas duras
- ☐ uñas blandas
- ☐ uñas anchas
- ☐ uñas alargadas
- ☐ uñas cuadradas
- ☐ uñas puntiagudas
- ☐ uñas mordidas

b. Lee el texto para conocer los principales rasgos de tu carácter. ¿Estás de acuerdo? ¿Qué opinas?

Tus manos hablan de ti

MANO LARGA: son personas estables y muy ordenadas.
MANO MEDIANA: espíritu de análisis y precisión.
MANO CORTA: personas con poco autocontrol, que se precipitan a la hora de tomar decisiones.
MANO MUY CORTA: se enfadan con facilidad y tienen relaciones difíciles con los demás.
MANO CALIENTE: personas muy racionales y nerviosas.
MANO SECA: personas que se enfadan fácilmente. Generosos.
MANO HÚMEDA: individuos tímidos, solitarios y con dificultades para tener pareja.
MANO FRÍA: personas con tendencia a la depresión, muy introvertidas.

UÑAS DURAS: sociables, hacen amigos con facilidad. Desean enamorarse.
UÑAS BLANDAS: personas indecisas, tienen pánico a equivocarse. Son muy celosas.
UÑAS ANCHAS: ingenuas, nada realistas, necesitan mucho cariño.
UÑAS ALARGADAS: hiperactivas, egoístas, combativas y seguras de sí mismas.
UÑAS CUADRADAS: divertidas, infantiles, familiares y trabajadoras.
UÑAS PUNTIAGUDAS: simpáticas y dominadoras. No son envidiosas ni rencorosas.
UÑAS MORDIDAS: personas nerviosas, desconfiadas, con poca autoestima.

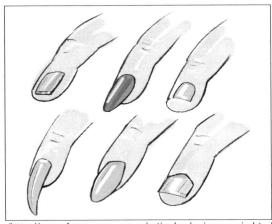

(http://www.formarse.com.ar/articulos/quiromancia.htm)

☺☺ **c.** **Escucha los resultados de dos compañeros y da tu opinión sobre sus análisis de personalidad. Utiliza las expresiones del recuadro.**

> No creo que
> No es verdad que
> No es cierto que   **+ subjuntivo**
> No me parece que
> No es exacto que
> Dudo que

a. *No creo que Jana sea indecisa o tenga miedo a equivocarse. Ella participa mucho en clase y nunca se enfada cuando el profesor la corrige.*

b. _____

c. _____

d. _____

e. _____

f. _____

☺☺ **d.** **¿Crees que el análisis de las manos te ha ayudado a conocer mejor a tus compañeros? ¿Qué sabes ahora de ellos que antes no sabías?**

☺☺ **e.** **Después de hacer esta actividad sobre quiromancia, ¿con qué afirmación te sientes más identificado? Márcalo.**

☐ No es verdad que las manos ayuden a saber cómo son las personas.

☐ Yo creo que es muy interesante que haya una ciencia que se ocupe de interpretar las manos.

☐ No me parece ni bien ni mal que haya estudiosos preocupados por el significado de las líneas, formas y características de las manos.

DESARROLLO DE ESTRATEGIAS

10.a. ¿Te ha ayudado la estrategia de ASOCIAR LAS ESTRUCTURAS GRAMATICALES NUEVAS A OTRAS CONOCIDAS QUE SIRVEN PARA EXPRESAR LO MISMO a aprender las estructuras nuevas de esta unidad?

☐ Mucho.   ☐ Bastante.   ☐ Nada.

b. Para las estructuras en las que no te ha ayudado esta estrategia, ¿se te ocurren otras diferentes que podrías utilizar?

_____

_____

☺☺ **c.** ¿Utilizan tus compañeros alguna estrategia distinta para aprender estructuras gramaticales nuevas? Anótalas.

_____

_____

B
MÓDULO

1.a. Cuando lees un texto en español y encuentras alguna palabra que no conoces, ¿qué haces? Escríbelo.

_____

_____

_____

_____

b. Paul está leyendo un artículo de arte en una revista. ¿Qué estrategias utiliza cuando encuentra una palabra que no conoce?

❏ Busca la palabra en el diccionario.

❏ Deduce su significado por similitud con palabras de otras lenguas que conoce.

❏ Deduce su significado por la situación de la palabra, por el contexto y por lo que va delante o detrás.

❏ Deduce su significado fijándose en la forma de la palabra.

❏ Sigue leyendo porque piensa que puede entender la información del texto sin necesidad de conocer todas las palabras.

Frida aparece en una camilla, tumbada y con una herida abierta... ¿Una camilla? Esta palabra no la conozco... Puede venir de la palabra cama más -illa. Además, el texto dice que está tumbada en ella... Sí, tiene sentido: en las camas nos tumbamos para dormir. También dice el artículo que Frida tiene una herida abierta, así que... una camilla puede ser una cama para enfermos o una cama de esas que hay en los hospitales.

😊😊 **c.** Paul utiliza la estrategia de DEDUCIR EL SIGNIFICADO DE UNA PALABRA POR SU FORMA Y SU SITUACIÓN para entender la información de un texto. ¿Coincide la estrategia de Paul con las tuyas? ¿Crees que puede ser útil? Coméntalo con tus compañeros.

2.a. Fíjate en esta página de museos que podemos encontrar en España y relaciona cada descripción con el museo correspondiente.

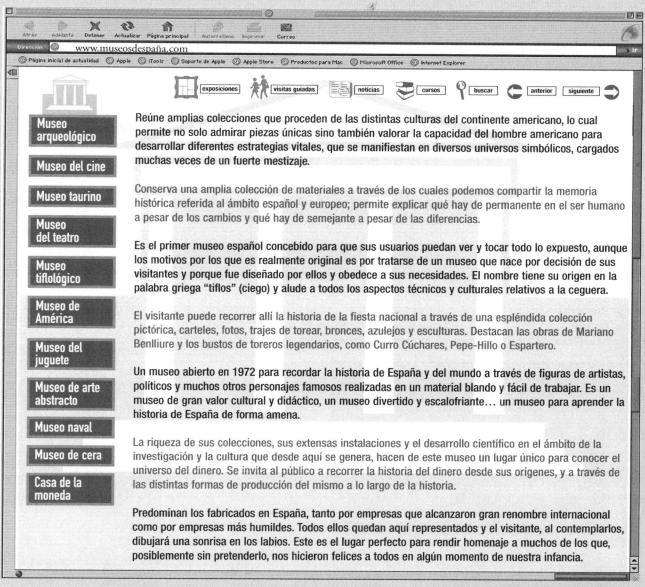

exposiciones · visitas guiadas · noticias · cursos · buscar · anterior · siguiente

- Museo arqueológico
- Museo del cine
- Museo taurino
- Museo del teatro
- Museo tiflológico
- Museo de América
- Museo del juguete
- Museo de arte abstracto
- Museo naval
- Museo de cera
- Casa de la moneda

Reúne amplias colecciones que proceden de las distintas culturas del continente americano, lo cual permite no solo admirar piezas únicas sino también valorar la capacidad del hombre americano para desarrollar diferentes estrategias vitales, que se manifiestan en diversos universos simbólicos, cargados muchas veces de un fuerte mestizaje.

Conserva una amplia colección de materiales a través de los cuales podemos compartir la memoria histórica referida al ámbito español y europeo; permite explicar qué hay de permanente en el ser humano a pesar de los cambios y qué hay de semejante a pesar de las diferencias.

Es el primer museo español concebido para que sus usuarios puedan ver y tocar todo lo expuesto, aunque los motivos por los que es realmente original es por tratarse de un museo que nace por decisión de sus visitantes y porque fue diseñado por ellos y obedece a sus necesidades. El nombre tiene su origen en la palabra griega "tiflos" (ciego) y alude a todos los aspectos técnicos y culturales relativos a la ceguera.

El visitante puede recorrer allí la historia de la fiesta nacional a través de una espléndida colección pictórica, carteles, fotos, trajes de torear, bronces, azulejos y esculturas. Destacan las obras de Mariano Benlliure y los bustos de toreros legendarios, como Curro Cúchares, Pepe-Hillo o Espartero.

Un museo abierto en 1972 para recordar la historia de España y del mundo a través de figuras de artistas, políticos y muchos otros personajes famosos realizadas en un material blando y fácil de trabajar. Es un museo de gran valor cultural y didáctico, un museo divertido y escalofriante… un museo para aprender la historia de España de forma amena.

La riqueza de sus colecciones, sus extensas instalaciones y el desarrollo científico en el ámbito de la investigación y la cultura que desde aquí se genera, hacen de este museo un lugar único para conocer el universo del dinero. Se invita al público a recorrer la historia del dinero desde sus orígenes, y a través de las distintas formas de producción del mismo a lo largo de la historia.

Predominan los fabricados en España, tanto por empresas que alcanzaron gran renombre internacional como por empresas más humildes. Todos ellos quedan aquí representados y el visitante, al contemplarlos, dibujará una sonrisa en los labios. Este es el lugar perfecto para rendir homenaje a muchos de los que, posiblemente sin pretenderlo, nos hicieron felices a todos en algún momento de nuestra infancia.

(Información extraída de www.mcu.es)

b. Escribe en tu cuaderno la descripción del último museo que has visitado. Léesela a tus compañeros. ¿Saben de qué museo se trata? ¿Lo han visitado ellos también?

c. ¿Existe mucha variedad de museos en tu país? ¿Qué museos te gustan más? Completa las frases y busca por la clase con qué compañeros coincides más.

Mi museo preferido en mi país es _____

Mi museo preferido fuera de mi país es _____

En la ciudad/región donde aprendo español he visitado el/los museos _____

3.a. Observa estas fotografías y selecciona en el texto los materiales y las formas correctas.

La catedral de Segovia, del siglo XV, es uno de los últimos grandes ejemplos del gótico hispano. Se trata de un edificio construido en ~~barro~~/**piedra** de grandes dimensiones, muy espacioso y luminoso. Sobre la puerta principal hay, como en la mayoría de las catedrales de este período, un rosetón: un ventanal de forma **circular/rectangular**. El resto de sus ventanas son **redondeadas/alargadas** y todas ellas están decoradas con vidrieras de **cristal/metacrilato** que cuentan con una gran variedad de colores, encargados de producir llamativos efectos luminosos en su interior. Sin duda los materiales predominantes son la **piedra/plata** y el **cristal/hierro**.

S in embargo, en el interior encontramos también **madera/cerámica** ricamente tallada en el retablo central y algo de **mármol/materiales reciclados** en las esculturas y los motivos funerarios repartidos por las naves laterales. La construcción transmite una inquebrantable solidez; no obstante, sus elevadas torres decorativas producen una sensación de poder y libertad.

C omo muestra la imagen de Jesucristo en la cruz, el gótico español desarrolló también una importante labor en el trabajo de la **madera/plata**. El fondo sobre el que se encuentra el Cristo es de **latón/bronce** y **azulejos/materiales reciclados**, muy presentes en las iglesias españolas. En esta figura llama fundamentalmente la atención el sufrimiento transmitido por el rostro de Jesucristo en la cruz.

Otras catedrales góticas de España son las de Burgos, Cuenca, León, Toledo y Sevilla.

☺☺ **b.** Elige uno de los monumentos más significativos de tu ciudad o del lugar donde vives. Descríbelo brevemente en tu cuaderno y expresa las sensaciones que te transmite. Preséntaselo a tus compañeros sin decir el nombre. ¿Saben de qué monumento se trata?

4.a. Piensa en objetos de la vida diaria que tengan estas características:

cosas con un color intenso	cosas con tonos pastel	cosas de tonos fríos	cosas de color amarillo anaranjado
El arco iris			

cosas con colores chillones	cosas de color marfil	cosas de color ocre	cosas de color azul marino

😊😊 **b.** Compara tus respuestas con las de tus compañeros e intenta encontrar a alguien que haya coincidido contigo en cinco objetos.

5.a. Los colores pueden afectar la sensibilidad e influir en nuestro comportamiento. ¿Qué sensaciones y emociones te transmiten los siguientes colores? Completa el cuestionario.

• negro	• amarillo	• blanco	• azul
• rojo	• verde	• naranja	• violeta

a. Me transmite paz, tranquilidad, inocencia, serenidad y optimismo.	
b. Me produce alegría, felicidad, energía y calor.	
c. Me transmite entusiasmo, energía, creatividad y fortaleza. Siento que me da vitaminas.	
d. Por un lado me hace pensar en el peligro, la guerra, la angustia y la crueldad; por otro, en el amor, el deseo y la pasión.	
e. Me sugiere riqueza, extravagancia, grandeza y feminidad.	
f. Me transmite fortaleza, estabilidad y confianza. Me relaja porque me hace pensar en el cielo y en la inmensidad del mar. Aunque, en exceso, me produce melancolía y tristeza.	
g. Me produce armonía, seguridad, equilibrio y serenidad. Me hace pensar en la naturaleza.	
h. Me transmite fortaleza, intransigencia, seriedad y miedo a lo desconocido. Pero también me recuerda a la muerte, al misterio y a la oscuridad.	

(Adaptado de www.webtaller.com/maletin/articulos/significado_de_los_colores.php)

😊😊 **b.** Compara tus respuestas con las de tus compañeros. ¿En cuáles habéis coincidido?

😊😊 **c.** ¿Cuál es tu color favorito? ¿Qué sensaciones te trasmite? ¿Coincides con las respuestas del cuadro invertido, propuesto por un grupo de psicólogos? Coméntalo con tus compañeros

PROPUESTA DE UN GRUPO DE PSICÓLOGOS.
a: blanco / b: amarillo / c: naranja / d: rojo / e: violeta / f: azul / g: verde / h: negro.

6. **Lee este texto sobre Pablo Picasso y elige la opción correcta.**

Intenta DEDUCIR EL SIGNIFICADO DE LAS PALABRAS QUE NO CONOZCAS de este texto. Cuando termines, puedes buscarlas en el diccionario. ¿Crees que esta estrategia puede ayudarte a ganar rapidez en tu comprensión lectora? Coméntalo con tus compañeros.

Un genio incomparable
Pablo Picasso

Pablo Ruiz Picasso nace en Málaga en 1881 y, tras pasar algunos años de su infancia en La Coruña, se traslada a Barcelona con su familia y comienza su etapa artística.

En 1904 se establece en París, donde realiza una serie de obras que, con características que reflejan la influencia de muchos artistas, transmiten un estilo muy personal; muestran ya el carácter de un artista que lo absorbía todo pero no retenía nada, un creador inagotable de imágenes, formas y estilos.

Entre 1901 y 1903 podemos situar su periodo azul, caracterizado por el predominio de los tonos azules, blancos y grises. Las obras de este periodo muestran la miseria humana a través de gestos de pena y sufrimiento de trabajadores extenuados, mendigos, alcohólicos y prostitutas, representados con cuerpos y formas ligeramente alargadas.

Entre 1904 y 1905 la paleta del pintor cambia hacia tonos rosas y rojos y los temas se centran en el mundo del circo. Empieza el periodo rosa, en el que Picasso representa escenas de jóvenes a caballo, acróbatas, payasos pensativos o arlequines en actitudes serias. En la figura del arlequín, Picasso pintó su otro yo, su *alter ego*.

Entre 1908 y 1912 Picasso pinta una serie de paisajes monocromáticos en los que los objetos quedan reducidos a formas geométricas: arcos, conos, cubos, pirámides y superficies planas que muestran figuras que permiten la visión simultánea de los diferentes lados de las formas. El autor se dirige a la inteligencia y al espíritu sin buscar las impresiones físicas. Los temas favoritos de Pablo Picasso durante esta época fueron los instrumentos musicales, las naturalezas muertas y sus amigos.

En 1912 surge lo que se denominó cubismo sintético. Picasso combina materiales e introduce los efectos del *collage* para reproducir en su obra diversas texturas. En estos momentos todo vale: la imaginación es dueña del arte.

A comienzos de la década de 1920 Pablo Picasso pintó una serie de extraños cuadros de bañistas con cabezas muy pequeñas y grandes cuerpos, así como retratos de mujeres en actitudes violentas, que simbolizaban a menudo sus propias tensiones vitales. Aunque no participó abiertamente del surrealismo de 1925, el movimiento le servirá como elemento de ruptura con lo anterior, introduciendo en su obra figuras distorsionadas con mucha fuerza y no exentas de rabia y furia.

En 1936 Picasso llevó a cabo una serie de grabados en los que el minotauro y las corridas de toros son su centro de inspiración. Este mismo año estalla la Guerra Civil Española, lo que provocó la realización de una de las obras más famosas del arte contemporáneo: el *Guernica*. En ella el artista critica la guerra y la sinrazón que conlleva un enfrentamiento armado.

Lo personal y lo social influyeron constantemente en el trabajo de Picasso y el estallido y posterior desarrollo de la II Guerra Mundial contribuyeron a que su paleta se oscureciera y a que la muerte fuera el tema más frecuente en la mayor parte de sus obras.

A partir de los primeros años de la década de los 60 Pablo Picasso residió en el sur de Francia y pasó a trabajar en un estilo muy personal, con vivos colores y formas extrañas.

En 1973, mientras preparaba dos exposiciones, falleció en su residencia cercana a Mougins, demostrando así su capacidad creativa hasta el final.

Pablo Ruiz Picasso es sin duda uno de los grandes genios de la pintura contemporánea y su obra se ha convertido en un referente indiscutible de la Historia del Arte. Creador del cubismo junto a Braque, su capacidad de invención y de creación lo sitúa en la cima de la pintura mundial. Ha pasado a la historia como ejemplo de creatividad y genialidad, de autor prolífico y polifacético. Cultivó la pintura, el grabado, el dibujo, la cerámica, el arte gráfico y la escultura en madera, metal, papel, bronce y otros materiales. Incluso escribió poemas y una obra de teatro surrealista. Todo ello, junto a una personalidad arrolladora, le ha convertido en uno de los artistas más populares del siglo XX y en una figura difícilmente superable.

(Información extraída de www.artehistoria.com)

1. Elige la opción que mejor describe la obra de Pablo Picasso.

   ❏ Alegre, original y realista.
   ❏ Imaginativa, cubista y monocromática.
   ❏ Creativa, novedosa y genial.

2. ¿Formó Pablo Picasso parte del movimiento surrealista?

   ❏ Sí, el Surrealismo dio un giro radical a su obra y Picasso fue uno de sus mayores precursores.
   ❏ No; sin embargo sí se sirvió de este movimiento artístico para añadir elementos nuevos a su obra.
   ❏ No; se mostró abiertamente en contra de esta tendencia pictórica.

3. Los acontecimientos sociales de la época…

   ❏ …no tuvieron reflejo ni influyeron en la obra de Pablo Picasso.
   ❏ …fueron reflejados por Picasso a través de formas geométricas que permitían diversas interpretaciones.
   ❏ …repercutieron en el estilo, la temática y las tonalidades de la obra de Picasso.

7.a. Observa con atención estos cuadros de Picasso. ¿De qué época crees que son? ¿Qué crees que quiso representar en ellos el autor? Justifica tu respuesta y compárala con la de tus compañeros.

Botella de Pernod y vaso

El guitarrista ciego

 b. Paloma y Ronaldo, dos estudiantes de Historia del Arte, están visitando una exposición. Escucha sus reacciones e impresiones ante tres de los cuadros que ven y toma notas en la tabla.

	Impresión de Paloma	Impresión de Ronaldo
Cuadro 1		
Cuadro 2		
Cuadro 3		

 c. Escucha de nuevo a Paloma y a Ronaldo. Una de sus impresiones hace referencia a uno de los cuadros de 7.a. ¿De qué impresión y de qué cuadro se trata? Coméntalo con tus compañeros.

☺☺ **d.** ¿Qué obras de Picasso conoces? Busca alguna obra de este genial artista y escribe en tu cuaderno una descripción sin indicar en qué periodo de su vida la realizó. Léesela a tus compañeros. ¿Saben a qué época pertenece?

8.a. La Orquesta Sinfónica de Venezuela ha dado un concierto de violín dentro de una catedral para celebrar su 75° aniversario. Fíjate en la posición de las personas y marca si las frases son verdaderas o falsas.

	V	F
1. En la parte superior derecha de cada columna se ha colocado un foco.	❏	☑
2. El director de la orquesta y el público son los únicos que aparecen de espaldas.	❏	❏
3. En el centro del escenario se ve al tenor de perfil y a la soprano de frente.	❏	❏
4. Todo el público permanece sentado en sus sillas.	❏	❏
5. Sobre el escenario hay únicamente tres personas que están de pie.	❏	❏

b. Ahora escribe seis frases para que tu compañero señale si son verdaderas o falsas.

	V	F
1. _____	❏	❏
2. _____	❏	❏
3. _____	❏	❏
4. _____	❏	❏
5. _____	❏	❏
6. _____	❏	❏

9.a. Relaciona las imágenes con los siguientes nombres.

4️⃣ *correo basura*   ❑ falsificaciones   ❑ comida basura   ❑ telebasura

 ①
 ②
 ③
 ④

 b. **Escucha las siguientes informaciones y relaciónalas con el nombre y fotografía correspondiente.**

Audición nº: *1*	Audición nº: ____	Audición nº: ____	Audición nº: ____
Nombre: *correo basura*	Nombre: _____	Nombre: _____	Nombre: _____
Foto: *4*	Foto: ____	Foto: ____	Foto: ____

 c. **Escucha a unas personas relacionadas con los negocios de 9.a. y señala las características que se destacan en cada uno de ellos. Hay tres para cada uno.**

	creativo	divertido	accesible	homogéneo	moderno	frívolo	solidario	joven	eficiente	comunicativo	revolucionario	saludable
Audición 1									✘			
Audición 2												
Audición 3												
Audición 4												

¿Has DEDUCIDO EL SIGNIFICADO DE ALGUNA PALABRA en las actividades 9a. y 9b.? Comenta con tus compañeros si la estrategia te ha ayudado o no.

😊😊 **d.** **Comenta con tu compañero estas opiniones.**

Con tan solo una comida basura introducimos en nuestro organismo más de la mitad de la energía diaria necesaria. Esto, añadido al resto de comidas, favorece el sobrepeso y la obesidad.

Mientras unos la critican y otros simplemente se divierten viéndola, cada vez son más los que opinan que la verdadera telebasura se encuentra en los informativos.

El mejor consejo es no facilitar la propia dirección de correo electrónico u otros datos personales en foros, listas de distribución, etc.

Los juguetes electrónicos de imitación, pueden provocar descargas eléctricas o incendios y las gafas de sol pueden dañar la vista.

● *Que los juguetes sean de imitación, no significa que sean peligrosos...*

10.a. ¿Te gusta regalar? Completa este test psicológico que analiza tu carácter a la hora de hacer regalos. Compara tus respuestas con las de tus compañeros.

	SIEMPRE	A VECES	NUNCA
1. Si un amigo se casa, le das dinero para que se compre lo que quiera.			
2. Consultas a sus allegados sobre lo que le podría gustar a tu amigo.			
3. Dedicas el tiempo necesario para seleccionar el regalo adecuado.			
4. Para elegirlo piensas en lo que te gustaría que te regalaran a ti.			
5. Te fijas en la calidad del regalo que compras.			
6. Para elegirlo te fijas en lo que la persona puede necesitar.			
7. Te gusta presentar los regalos de manera original y atractiva.			

(Adaptado de www.mundogar.com)

☺☺ **b.** Piensa en dos compañeros de clase, sus gustos, personalidad, etc. Escribe en un papel, qué regalo les harías. Haced una puesta en común explicando vuestra elección y justificándola. ¿Habéis acertado?

c. Alfonso y Santiago están en el Corte Portugués, un gran centro comercial, comprando los regalos de Navidad. Decide a qué regalos se refiere cada frase.

a ¿Por qué no se las compramos a Teresa? A ella le encanta la bisutería de fantasía.

b Cómpraselo a tu madre. El que tiene es muy antiguo.

c Podrías regalársela a tu hermano; él es tan clásico vistiendo...

d ¿Y si se lo compramos a Luis? Seguro que le hace ilusión tener uno.

e Yo se los regalaría a tu hermana pequeña; siempre está pendiente de los últimos éxitos...

f ¿Se los llevamos a Mariana? Le encanta esta diseñadora y no son caros.

g ¿Por qué no se la compramos a Chris? Siempre se le olvidan las citas...

h Regálatelas. Te quedan genial.

d. Santiago y Alfonso proponen regalos. A veces sus ideas son buenas, pero otras se olvidan de datos importantes. Completa el diálogo siguiendo el modelo. Sustituye en las respuestas el regalo por un pronombre.

a) ¿Y unas tortugas para la abuela Remedios?   [A Remedios no le gustan los animales.]

No se las compres. No olvides que odia los animales.

b) ¿Qué tal un abanico para Carmen?   [Carmen es muy calurosa.]

_____

c) Para Paco... ¿una caja de puros?   [El médico le ha prohibido fumar a Paco.]

_____

d) A Juan... ¡una corbata!   [Es heavy metal.]

_____

e) ¿Qué te parece un MP3 para el abuelo?   [Le encanta escuchar música a todas horas.]

_____

f) ¿Y unas cremas para la tía Concha?   [Siempre se queja de que el clima le reseca la piel.]

_____

DESARROLLO DE ESTRATEGIAS

11.a. ¿Te ha ayudado la estrategia de DEDUCIR EL SIGNIFICADO DE UNA PALABRA POR SU FORMA Y SU SITUACIÓN para entender la información de los textos de esta unidad?

❏ Mucho.   ❏ Bastante.   ❏ Nada.

b. ¿Cuáles son las estrategias que más te han ayudado a DEDUCIR EL SIGNIFICADO DE LAS PALABRAS QUE NO CONOCÍAS? Anótalas.

_____

_____

_____

☺☺ **c.** ¿Utilizan tus compañeros alguna estrategia distinta para DEDUCIR EL SIGNIFICADO DE LAS PALABRAS QUE NO CONOCEN? Anota las que te parezcan más interesantes.

_____

_____

_____

B
MÓDULO

1.a. ¿Qué situaciones del proceso de aprendizaje pueden llevarte a tener sensaciones desagradables? ¿Qué haces para evitarlas o superarlas? Escríbelo en la tabla.

EVITAR QUE LAS EMOCIONES INFLUYAN NEGATIVAMENTE EN MI PROCESO DE APRENDIZAJE	
Me puede provocar sensaciones desagradables…	Para evitar o superar esas sensaciones desagradables…
no recordar la palabra exacta que quiero decir. no entender lo que me dicen.	*intento tranquilizarme y decir lo mismo con otras palabras.*

b. Paul está atravesando un momento difícil en su proceso de aprendizaje. ¿Coincide su estrategia para superar las sensaciones desagradables o la propuesta por uno de sus compañeros con alguna que tú utilizas?

Quería comentaros que últimamente estoy un poco agobiado porque tengo la sensación de que mi español no mejora. No sé, me parece que no consigo aprender nada.

No te preocupes, Paul; a mí me pasó lo mismo en el curso pasado. Yo creo que es normal. ¿Sabes lo que hago yo para no perder la motivación? A veces, cuando hago algo bien, me concedo algún premio. Por ejemplo, hace dos semanas me fui a cenar con mi novia a mi restaurante favorito para celebrar que llevaba dos semanas seguidas haciendo bien los deberes.

PARA EVITAR QUE LAS EMOCIONES ME INFLUYAN NEGATIVAMENTE…	Sí	No
comparto con mis compañeros mis estados de ánimo.		
me premio.		

☺☺ **c.** Pon en común con tus compañeros qué os puede provocar sensaciones desagradables y qué estrategias utilizáis para evitarlo. Haz una lista con las que creas que pueden ayudarte más.

2.a. Completa estas noticias sobre temas sociales. ¿Cuál se trata en cada una de ellas?

(A) Un análisis de 92 locales de Madrid destinados a exposiciones ha reflejado que la calidad de los accesos y la adaptación y accesibilidad de los baños para uso de personas _____ tienen todavía que mejorar.

(B) Para prevenir riesgos de exclusión educativa es necesario generalizar la escolarización temprana y fomentar la _____ de la población adulta.

(Información extraída de www.estrelladigital.es)

b. Lee estos deseos y relaciónalos con el grupo social al que hacen referencia.

(1) Me encantaría que las mujeres que sufrimos este problema contáramos con más ayuda por parte del gobierno para superarlo.

(2) Lo ideal sería que la administración nos facilitara el papeleo que necesitamos para trabajar y pudiésemos vivir aquí una vida digna.

(3) Sería estupendo que la gente no nos viera como un problema sino como personas con mucha experiencia de las que se puede aprender.

(4) Lo que más deseo es que encarcelen a las personas que se han enriquecido vendiéndonos sustancias que han acabado con nuestras vidas.

(5) Ojalá llegue un día en el que sea capaz de leer y escribir.

(6) Espero que el gobierno sea consciente de los obstáculos que nos encontramos al acceder a lugares públicos y dedique más dinero a solucionarlo.

analfabeto

discapacitado

inmigrante

víctima de la violencia doméstica

drogodependiente

tercera edad

☺☺ **c. ¿Y tú? ¿Conoces a alguien que pertenezca a uno de estos grupos sociales? ¿Sabes cuáles son sus deseos para el futuro? Háblalo con tu compañero.**

● *Yo tengo un vecino polaco que lo que más desea es que le hagan un contrato laboral digno.*

3.a. **Lee estas opiniones sobre distintos temas que preocupan a la sociedad y señala a cuál de ellos se hace referencia en el programa de radio.**

En mi opinión, la legalización de la prostitución permitiría un mayor control sanitario, fiscal y legal. Además, ayudaría a erradicar el tráfico de mujeres.

Desde mi punto de vista, no soluciona nada que los gobiernos de los países más ricos destinen el 0.7% de su PIB a ayudar a países en vías de desarrollo.

Espero que un día se deje de penalizar al que consume drogas y se facilite su acceso a centros sanitarios gestionados por el Estado.

Yo pienso que se debería controlar mucho más la entrada de inmigrantes irregulares. Si un país no es capaz de integrarlos, aumentarán tanto los problemas políticos como los sociales.

Yo creo que un país como España, en el que cuatro millones de personas presentan alguna discapacidad, debería reestructurar las ciudades, mejorar los transportes y adaptar las viviendas.

Las energías alternativas son más económicas y menos contaminantes que las convencionales. **Por lo que considero** que su implantación sería la solución a muchos problemas.

b. **Señala en la tabla tus opiniones acerca de los temas de 3.a.**

	4	3	2	1
No sirve de nada que los países más desarrollados envíen el 0,7% de su PIB en forma de ayuda.				
La legalización de la prostitución resolvería muchos problemas.				
Para que los discapacitados se sientan más integrados, se deben eliminar las barreras arquitectónicas, adaptar los medios de transporte, etc.				
Se debería controlar mucho más la entrada de inmigrantes irregulares.				
Si limitamos la venta de drogas a centros especiales, se reducirá su consumo.				
La implantación de energías alternativas solucionaría muchos problemas en todo el mundo.				

4 = totalmente de acuerdo; 3 = bastante de acuerdo; 2 = no totalmente en desacuerdo; 1 = desacuerdo total

☺☺ **c.** **En grupos de tres, poned en común vuestras respuestas. ¿En qué temas tenéis la misma opinión? ¿En cuáles discrepáis?**

- *Es verdad que la legalización de la prostitución..., pero...*
- *No estoy del todo de acuerdo contigo, porque...*
- *Pues yo creo que X tiene razón, pero quizá...*

4.a. Completa las opiniones de los participantes de este foro. Elige el conector adecuado.

@ Web designed by iciÜENÉ~ÉR

Atrás | Adelante | Detener | Actualizar | Página principal | Autorrelleno | Imprimir | Correo

Dirección: http://www.19760203.com/

Google | Microsoft Office | Internet Explorer | ELSEMANALTV.COM | PaginasAmarillas.es | Yahoo! El tiempo

FORO > SOCIEDAD > VIOLENCIA DOMÉSTICA > 4 comentarios

Ahora bien / Desde mi punto de vista / En realidad

Desde mi punto de vista, el maltrato psicológico es peor que el físico, porque atenta contra la dignidad de la mujer. ...., no es que defienda que el maltrato físico no sea también terrible. ...., considero que ambos provocan graves consecuencias y que los dos deberían ser perseguidos y duramente castigados. Sé que puedo escandalizar a muchos, pero la cadena perpetua me parecería una muy buena solución.
Jano

Es verdad que... pero / yo creo que / Lo que quiero decir es que

Jano,................................. lo que propones no es la solución. ....…................ habría que castigar a los agresores, ……………….………… no aislándolos de la sociedad ni separándolos de sus parejas, porque en el fondo las quieren y ellas son las que más y mejor pueden ayudarlos. .... convendría que psicólogos y trabajadores sociales ayudaran a reinsertar y reeducaran a los agresores, que en realidad no son más que enfermos.
Quique

Puede que / pero también / Estoy de acuerdo con

.... Quique en que los maltratadores son enfermos, ... creo que son asesinos, agresores y violentos y que, cuando se les imponga una condena, deben cumplirla en su totalidad. ...., cuando un agresor salga de la cárcel y los psicólogos digan que esta rehabilitado, lo esté, pero solo hasta que conozca a otra mujer. Porque, claro, quién me dice a mí que una persona que ha hecho eso no lo va a volver a hacer.
Chus

Quizás... pero también / Yo también creo que / En realidad

Pero Quique, qué barbaridades dices. .... un agresor es una persona que sufre trastornos de ansiedad, tiene problemas con el alcohol, etc. .... sea un enfermo, ... es un delincuente y como tal debe pagar. ...., la sociedad debería tomar más en serio la expresión "hay amores que matan" para acabar con la muerte y el sufrimiento de tantas mujeres.
Berta

Zona de Internet

☺☺ **b.** Argumenta tu opinión sobre este tema y exponla al resto de la clase. ¿Qué opinas de las afirmaciones de tus compañeros? ¿Con quién estás de acuerdo? ¿Con quién no? ¿Por qué?

- *Yo no estoy (del todo) de acuerdo con..., porque considero que...*
- *Bueno, en realidad, lo que quería decir es que...*

5.a. Escucha a los tres participantes —Socorro Gutiérrez (SG), Ana Vaso (AV) y Tomás López (TL) — y al moderador (M) del debate *País sin violencia* y señala qué expresiones utiliza cada uno para tomar el turno de palabra.

Bueno, bueno...	*SG*	Solo un comentario más...		¿De verdad crees que...?	
Muchas gracias por...		Disculpa que te interrumpa...		Perdonad que os interrumpa...	
Creo que es...		Eso, eso es verdad...		Perdone que tome el turno de palabra...	

☺☺ **b.** Vuelve a escuchar el debate. ¿Los participantes esperan su turno de palabra? ¿Les sienta mal ser interrumpidos? ¿Te sorprende? Coméntalo con tus compañeros.

6.a. Lee estas afirmaciones y señala si te parecen verdaderas (V) o falsas (F).

	V	F
1. En España, los accidentes de tráfico son, por delante de enfermedades de corazón, las respiratorias y las digestivas, la causa más frecuente de muerte.		
2. La OMS ha advertido de que en los próximos 25 años los dos mayores problemas de salud de la humanidad serán los derivados de los accidentes de tráfico y las enfermedades mentales.		
3. Los accidentes de tráfico representan la principal causa de mortalidad de niños y jóvenes en el mundo.		
4. Algunas de las principales causas de accidentes de tráfico en España son la falta de experiencia de algunos conductores, el mal estado de algunas carreteras, las distracciones y la conducción bajo los efectos del alcohol y las drogas.		

b. Lee el texto y comprueba tus respuestas.

RIESGOS EN LA CARRETERA: ¡EVITA LOS NEFASTOS ACCIDENTES!

Cada año se ocasionan cerca de 45.000 muertes y más de tres millones de heridos por accidentes de tráfico en las carreteras de la Unión Europea. En España, se estima que los accidentes de tráfico constituyen la quinta causa de mortalidad, tras enfermedades cardiovasculares, respiratorias y digestivas.

El 7 de abril está dedicado a la seguridad vial, un problema que según la Organización Mundial de la Salud (OMS), será la tercera causa de muerte en el año 2020, tras las enfermedades cardiovasculares y mentales. Eso sin olvidar que desde la invención del coche a finales del s. XIX han muerto en todo el mundo cerca de 45.000.000 de personas en accidentes de tráfico.

Algo alarmante es ver cómo los accidentes de tráfico se ceban principalmente en la población joven. De hecho, representan la principal causa de mortalidad de las personas con edades comprendidas entre los 5 y los 29 años. La poca expe-

riencia al volante o el consumo de alcohol y drogas durante los fines de semana aumentan el riesgo de accidentes.

Los datos estadísticos apuntan que, al mal estado de las carreteras (vías, señalización errónea, etc.), hay que sumar el factor humano, el ambien-

tal e incluso el relacionado con el mismo vehículo. Es decir, a la hora de conducir un vehículo, es necesario, además de una adecuada carretera, un buen estado físico del conductor. Porque son muchos los factores que pueden alterar nuestras capacidades y abocarnos

a un accidente de consecuencias fatales. Tomar las debidas precauciones es, siempre, algo esencial. "Ya basta. Conducir mal, te quita puntos" es el lema de esta nueva campaña, que hace hincapié también en tres de las causas que originan una parte importante de los accidentes: la velocidad, el alcohol y la distracción. En suma, esta nueva campaña de la DGT (Dirección General de Tráfico), pone el acento en la necesidad de cumplir las normas de circulación, con el fin de reducir la siniestralidad: si no cumples las normas, pierdes puntos; si pierdes los 12 puntos asignados a todo conductor, te puedes quedar sin carné.

(Información extraída de www.supermotor.com)

c. ¿Qué sería recomendable hacer para reducir el número de accidentes? En parejas, proponed algunas medidas que deberían adoptarse para evitar tantas muertes en las carreteras.

1. *Sería conveniente que ningún vehículo pudiera superar los 120 km./h. permitidos.*

2. *Se debería* _____

3. _____

4. _____

5. _____

> Cuando haces actividades complejas en las que tienes que hacer muchas cosas distintas, como en la actividad 6, ¿te resulta útil aplicar estrategias para evitar la influencia de sensaciones desagradables? Coméntalo con tus compañeros.

☺☺ **d.** ¿Son los accidentes de tráfico un problema social en tu país? ¿Cómo se combaten? ¿Funciona en tu país el "carné por puntos"? ¿Cuántos puntos recibe cada conductor?

7.a. ¿Qué planes e intenciones tiene Enrique para su futuro y por qué? Une la información de las dos columnas.

SITUACIÓN	PLANES E INTENCIONES
• En la empresa le exigen demostrar que habla español.	○ Tienen pensado hacer un viaje a una isla desierta.
• Pierde mucho tiempo en los atascos.	○ Tienen pensado dedicar un fin de semana a poner todo en orden.
• Su novia se queja de que nunca hacen nada juntos.	○ Tiene la intención de presentarse al DELE en noviembre.
• Su casa está cada día más desordenada y sucia.	○ Tiene la intención de utilizar el año próximo el transporte público.

☺☺ **b.** Escribe tres situaciones reales de tu vida y completa la tabla con planes e intenciones para cada una de ellas. Cuenta a tu compañero la situación para que intente adivinar tus planes.

SITUACIÓN	PLANES E INTENCIONES
Me encantaría hacer un viaje a Argentina este invierno, pero no me apetece ir sola.	*Tengo pensado poner un anuncio en Internet para buscar acompañante.*

8.a. ¿Has pensado alguna vez en apadrinar un niño? La información de este anuncio puede serte muy útil si te decides a hacerlo. Léelo y completa el texto.

"TODO LO QUE USTED DEBE SABER
antes de
APADRINAR UN NIÑO"

☞ Según datos de UNICEF, **hasta que** no _____ (distribuirse) mejor la riqueza, el 20% de la población seguirá controlando el 83% de la riqueza de nuestro planeta.

☞ Miles de niños esperan la oportunidad de ser apadrinados. **En cuanto** _____ (rellenar) el formulario envíenoslo.

☞ **Tan pronto como** usted _____ (apadrinar) un niño, recibirá una fotografía y una ficha con sus datos personales.

☞ **Cuando** usted _____ (destinar) los 20 € que cuesta apadrinar un niño, esta cantidad será enviada a países en los que su valor se verá multiplicado por diez o más.

☞ Con esos 20 € al mes puede cubrir muchas necesidades diarias de un niño. ¿Nos ayuda? Hágalo **antes de que** _____ (ser) demasiado tarde.

☞ **Después de que** esa cantidad _____ (llegar) a su destino, se le informará de las futuras inversiones que se van a realizar con ese dinero.

☞ **Tan pronto como** usted lo _____ (exigir), la organización le enviará un justificante de su aportación económica para que pueda beneficiarse de las ventajas fiscales que supone colaborar con una ONG.

"La persona que me apadrine puede dejar de colaborar en el programa de apadrinamiento **cuando** lo _____ (desear)."

(Texto adaptado de www.apadrinar.com)

☺☺ **b.** ¿Cómo es la situación en tu país respecto al tema del apadrinamiento o adopción de niños? Coméntalo con tus compañeros. ¿Alguien de tu entorno lo ha hecho?

9.a. Fíjate en estas imágenes. ¿Qué cambios se han producido en la vida de estas personas? Completa las frases con la forma adecuada de *volverse* y *hacerse*.

Adela ha estado varios años conviviendo con gente que no comía carne ni pescado y <u>se ha hecho</u> vegetariana.

1

2

Manuel escuchó la llamada de Dios y _____ sacerdote.

Desde que ha ascendido, Mario _____ insoportable.

3

b. Relaciona cada frase con una de las fotografías de 9.a.

a) Lleva dos años como gerente y algunos dicen que ya se ha hecho millonario. *Foto 3*
b) Siempre que quedo con ella tenemos que ir a un vegetariano; se ha vuelto una egoísta. *Foto ____*
c) Se hizo monje pero después decidió hacerse sacerdote. *Foto ____*
d) Desde que sabe que voy a sus misas se ha vuelto más simpático. *Foto ____*

☺☺ **c.** Piensa en cambios que se han producido en tu vida y en la de personas de tu entorno. ¿Han sido negativos o positivos? ¿Los elegiste tú? Coméntalo con tu compañero.

● *Mi padre se pasa el día quejándose, se ha vuelto muy gruñón.*

d. Piensa ahora en tu futuro y en el de la gente que te rodea ¿Qué cambios crees que se habrán producido en lo personal, el carácter, el físico, dentro de 10 años? Háblalo con tu compañero.

Tu mejor amigo: *Creo que se habrá ido a vivir a Canadá con la que ahora es su novia.*

Tu pareja: _____

Tu trabajo: _____

Tu físico: _____

10.a. Leli tiene problemas con su marido Ernesto y un consejero matrimonial le ha pedido que le escriba una carta para explicárselo. Selecciona en el texto las opciones correctas.

Querido Ernesto:

Esta es la carta que me recomendó el psicólogo que te escribiera y, como ya te he dicho, en ella quiero contarte las cosas que más me molestan de ti y también las que más me gustan.

*Odio pensar en todas las promesas que me has hecho y que no has cumplido. Llevo años haciéndome ilusiones que ahora sé que son imposibles. Me has prometido demasiadas cosas: que **vamos a ir / ibamos a ir** todos los años a veranear juntos, que **te llevarías / te llevarás** bien con mi padre, que **ibas a dejar / vas a dejar** de beber cerveza todas las noches con la cena... Pero la realidad es que nunca veraneamos, porque tienes mucho trabajo, que no soportas estar con mi padre más de dos minutos y que te enfadas conmigo cada vez que descubres que he tirado todas las latas de cerveza a la basura. ¡Ah!, ¿y recuerdas por qué compramos a nuestros perros? A mí nunca me han gustado los animales, no quería tener ni un acuario con dos peces, pero tú me repetiste mil veces que, si comprábamos a Per y Fecto, tú los **sacarás / sacarías** a pasear todos los días. ¿Quién se ocupa de ellos? Yo, me ocupo siempre yo, porque tú estás demasiado cansado.*

*Lo triste es que, por mucho que pienso, creo que solo has cumplido dos cosas de todas las que me has prometido durante estos años: un día me dijiste que no **dejarás / ibas a dejar** nunca más los platos sucios por la casa y que **vas a quitar / quitarías** los pelos de la ducha. Reconozco que estas dos cosas las has cumplido a la perfección.*

*Es cierto que estoy triste, enfadada y decepcionada, pero aún tengo confianza en nuestra relación. Me has hecho promesas que necesito que se cumplan y que de verdad creo que se van a cumplir, porque sé que tú también quieres que mejore nuestra relación: me has dicho que este verano **vamos a venir / iríamos** un mes entero a una isla y que a partir del año que viene **dejarás / ibas a dejar** de traer trabajo a casa.*

*Por último, quiero pedirte que a partir de ahora pienses un poco más antes de hacerme una promesa y dejes de decir que vas a hacer cosas que no vas a cumplir. Por ejemplo, ayer me dijiste que **ibas a ir / vendrás** conmigo todos los días al gimnasio. Ernesto, ¡los dos sabemos que eso es algo completamente imposible! La semana pasada repetiste muchísimas veces que **harías / vas a hacer** todos los días nuestra cama antes de ir a trabajar. ¡Estaba clarísimo que no la ibas a hacer! Evita decirme estas cosas y así yo dejaré de decepcionarme constantemente.*

Te quiero y confío en que esto se solucione pronto,

Leli

b. Piensa en tres promesas que te hayan hecho e indica si las cumplieron o no. Compáralas con las de tu compañero. ¿A quién han defraudado más veces?

c. Piensa ahora en otras que te hayan hecho y que todavía se puedan cumplir. ¿Qué crees que va a ocurrir? Compáralo con tu compañero. ¿Quién tiene más confianza en que se cumplan esas promesas?

11.a. Florian va a ir de viaje a Madrid. Escucha los últimos consejos y comentarios que dejan en su contestador y completa las frases. Después, vuelve a escuchar los mensajes y relaciónalos con las personas de la izquierda.

DEJE SU MENSAJE DESPUÉS DE LA SEÑAL

1. Florian debería visitar todos los museos que pueda: son muy _____, pero muy _____.

2. Cuando vas a un país en el que hablan la lengua extranjera que quieres aprender y hablas con _____, mejoras mucho más rápido y con menos _____.

3. La _____ está _____.

- un amigo de Florian de su clase de español

- la madre de Florian

- la profesora de español de Florian

b. Escucha ahora lo que le cuenta Florian a un amigo por teléfono al volver de Madrid y marca qué comentarios de 11.a. cree que son ciertos y cuáles no. ¿Qué piensa él sobre los comentarios que considera falsos?

Florián...	cree que es cierto.	cree que es falso.	opina que...
Comentario sobre dónde aprender español más fácilmente.			
Comentario sobre la comida.			
Comentario sobre los museos.			

c. ¿Recuerdas algo que te hayan dicho sobre el idioma español? ¿Crees que es cierto o no? Ponlo en común con tus compañeros.

¿Cómo te afectan los comentarios negativos respecto a las cosas que quieres hacer? ¿Aplicas alguna estrategia para que esos comentarios no te influyan negativamente? ¿Cuál? Coméntalo con tus compañeros.

DESARROLLO DE ESTRATEGIAS

☺☺ **12.** ¿Has aplicado a lo largo de esta unidad estrategias para EVITAR QUE LAS EMOCIONES INFLUYAN NEGATIVAMENTE EN EL PROCESO DE APRENDIZAJE? ¿Cuáles son las que más te han ayudado y en qué situaciones? Coméntalo con tus compañeros y anota las que te parezcan más interesantes.

_____

_____

_____

MÓDULO C

1.a. Cuando te encuentras con una palabra o expresión nueva, ¿con qué la asocias para recordarla mejor?

❑ La asocio con otras palabras y hago frases.
❑ La asocio con una persona o un lugar.
❑ La asocio con situaciones en las que puedo utilizar esa palabra o expresión.
❑ La asocio con la traducción en mi lengua o en otras lenguas que conozco.
❑ La asocio con mi realidad, con mi propio mundo.
❑ La asocio con _____

b. Fíjate en la estrategia que ha utilizado Paul para recordar una expresión nueva relacionada con la salud. ¿Haces tú lo mismo o utilizas estrategias diferentes?

"Estar sordo como una tapia" significa *no oír nada*. Puedo dibujar algo que represente a alguien que está completamente sordo y algo que me ayude a recordar la palabra "tapia". Bien…

PARA RECORDAR MEJOR EXPRESIONES NUEVAS
Las asocio con otras palabras que puedo utilizar en una situación determinada.

☺☺ **c.** Piensa en alguna expresión en español que conozcas y haz un dibujo que represente su significado y las palabras que la componen. Enséñaselo a tu compañero. ¿Sabe qué expresión has representado?

2.a. Relaciona estas definiciones con las palabras a las que alude.

1. Persona a la que se le va a hacer un reconocimiento médico.
2. Alteración más o menos grave de la salud.
3. Líquido rojo que circula por las arterias y venas del cuerpo.
4. Perforación o desgarramiento en algún lugar de un cuerpo vivo.
5. Persona autorizada para ejercer la medicina.

- enfermedad
- herida
- médico
- paciente
- sangre

b. Completa el gráfico con las palabras del recuadro

- PASTILLAS • HEMORRAGIA • PADECER TRASTORNOS • CREAR MALESTAR • JARABE • RECETAR • COSER
- POMADA • HACER DIAGNÓSTICOS • PROVOCAR NÁUSEAS • COAGULAR • CICATRIZAR • TENER SÍNTOMAS

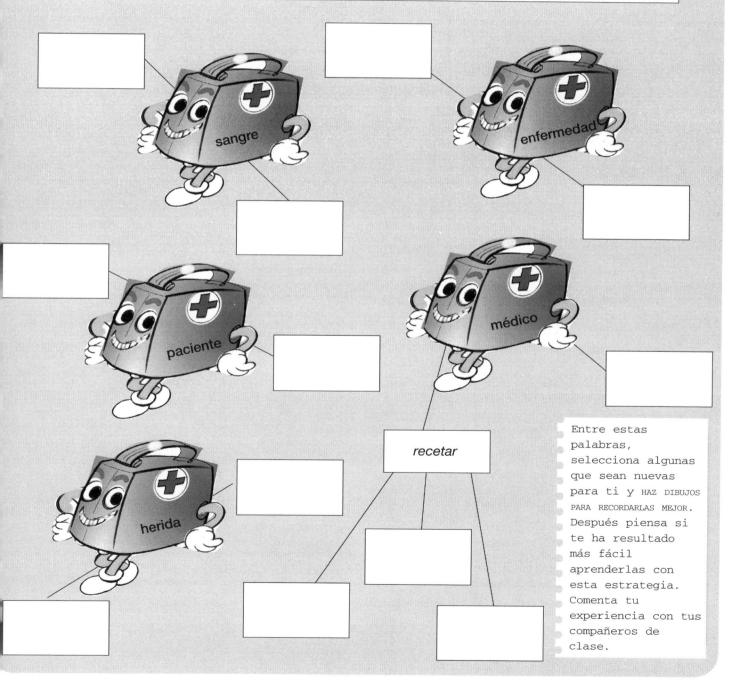

Entre estas palabras, selecciona algunas que sean nuevas para ti y HAZ DIBUJOS PARA RECORDARLAS MEJOR. Después piensa si te ha resultado más fácil aprenderlas con esta estrategia. Comenta tu experiencia con tus compañeros de clase.

3.a. **Relaciona los elementos de las tres columnas.**

DEFINICIÓN	NOMBRE COMÚN	NOMBRE CIENTÍFICO
1. Disminución de la capacidad auditiva.	Almorranas	Ictus
2. Aumento anormal de la presión intraocular.	Sordera	Hemorroides
3. Infarto o hemorragia cerebral.	Diarrea	Glaucoma
4. Tumoración en los márgenes del ano.	Derrame cerebral	Nefrolitiasis
5. Inflamación de la membrana mucosa del estómago y de los intestinos.	Piedras en el riñón	Hipoacusia
6. Cálculos renales.	Tensión ocular	Gastroenteritis

b. **Escucha estas conversaciones y completa la tabla.**

	Síntomas	Diagnóstico	Solución
Audición 1			
Audición 2			
Audición 3			

☺☺ **c.** **Lee estos síntomas y comenta con tu compañero de qué enfermedad de 3.a. crees que se trata.**

Paciente A) Pérdida de fuerza en la mitad de la cara e incapacidad para mantener el equilibrio.

Paciente B) Dolor de tripa, fiebre, heces acuosas.

Paciente C) Náuseas, vómitos y dolores de cabeza.

- *Puede que el paciente A tenga tensión ocular porque se marea.*

- *No sé, a lo mejor ha tenido una hemorragia cerebral. Dicen que ahora es una enfermedad muy común y que uno de los síntomas es que se adormece alguna parte del cuerpo.*

UNIDAD 9

4.a. **Fíjate en los DIPTONGOS de las sílabas destacadas de estas palabras y escucha dos veces cada una. Después, tacha en el texto las opciones incorrectas y obtendrás la definición de diptongo.**

a) a-**CEI**-tes naturales   he-mo-**RROI**-des   **NÁU**-se-as   **CUI**-dar-se   a-li-**VIO**
b) **VIU**-do   **CUI**-dar-se

Un **DIPTONGO** es la combinación de dos/~~tres~~ vocales en una sílaba. Esta combinación puede ser de dos tipos:

a) Vocal abierta (**A, E, O**) + vocal cerrada (**I, U**) o, en orden inverso, vocal cerrada (**I, U**) + vocal abierta (**A, E, O**), siempre y cuando la vocal cerrada no reciba/reciba la fuerza de acentuación de la palabra.
b) Dos vocales cerradas iguales/diferentes: (**IU** o **UI**) / (**II** o **UU**)

> **Acentuación**: Los diptongos siguen siempre las reglas generales de acentuación.
>
> Tipo a) ➡ Si a un diptongo [I, U + **A, E, O**] o [**A, E, O** + I, U] le corresponde llevar tilde según las reglas generales de acentuación, esta debe colocarse sobre la vocal abierta (A, E, O). Ej.: pa-cien-te, náu-se-as.
>
> Tipo b) ➡ Si a un diptongo [**IU** o **UI**] le corresponde llevar tilde según las reglas generales de acentuación, esta debe colocarse sobre la segunda vocal. Ej.: vi**u**-do, in-ter-vi**ú**.

b. **Fíjate ahora en los HIATOS destacados en estas palabras y escucha dos veces cada una. Después, tacha en el texto las opciones incorrectas y obtendrás la definición de hiato.**

a) r**A-Í**z   r**E-Í**r-se   **O-Í**-do   r**E-Ú**-nen   e-co-gra-f**Í-A**   r**í-En**
b) c**A-E**r-se   cór-n**E-A**   po-s**E-E**r   hi-p**O-A**-cu-sia   hé-r**O-E**
c) an-tI-In-fla-ma-to-rio

Un **HIATO** es la combinación de dos/tres vocales que pertenecen a una sílaba/dos sílabas diferentes. Esta combinación puede ser de tres tipos:

a) Vocal abierta (**A, E, O**) + vocal cerrada (**I, U**) o, en orden inverso, vocal cerrada (**I, U**) + vocal abierta (**A, E, O**), siempre y cuando la vocal cerrada no reciba/reciba la fuerza de acentuación de la palabra.
b) Vocal abierta (**A, E, O**) + vocal abierta (**A, E, O**)
c) Dos vocales cerradas iguales/diferentes: (**IU** o **UI**) / (**II** o **UU**)

> **Acentuación**:
>
> Tipo a) ➡ Un hiato [I, U + A, E, O] o [A, E, O + I, U] lleva tilde SIEMPRE sobre la vocal cerrada (I, U). Ej.: o-í-do.
>
> Tipo b) y c) ➡ Un hiato formado por dos vocales abiertas [A, E, O + A, E, O] o por dos vocales cerradas iguales sigue las reglas generales de acentuación. Ej.: ca-os, hé-ro-e, an-ti-in-fla-ma-to-rio.

c. **Escucha las siguientes palabras; escríbelas en tu cuaderno y marca la vocal que recibe la fuerza de acentuación. Después, sepáralas en sílabas y pon una tilde en las palabras que lo necesiten según las reglas generales de acentuación y las de diptongos e hiatos descritas en 4.a. y 4.b. Por último, clasifícalas en esta tabla.**

Palabras agudas				Palabras llanas				Palabras esdrújulas			
④	③	②	❶	④	③	❷	①	④	❸	②	①
con-train-di-ca-ci**Ó**n											

Palabras con hiato [**I, U** + A, E, O] o [A, E, O + **I, U**] llevan tilde SIEMPRE

UNIDAD 9

5. Elige dos de estas expresiones y dibújalas en una hoja. Después, compara tus dibujos con los del resto de la clase y seleccionad entre todos el que mejor ayude a recordar cada expresión; comentad si la estrategia os ha ayudado o no.

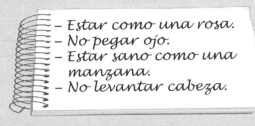

– Estar como una rosa.
– No pegar ojo.
– Estar sano como una manzana.
– No levantar cabeza.

6. Selecciona del recuadro un nombre para cada imagen y su forma de administrarlo.

• comprimido/pastilla • sobre • jarabe • inyección • supositorio • pomada • gotas • cápsula

• vía oral • vía tópica • vía rectal • vía intravenosa o intramuscular

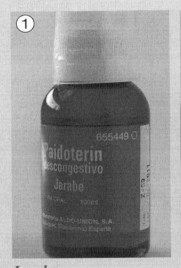

Jarabe

Vía _____

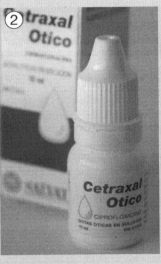

_____

Vía _____

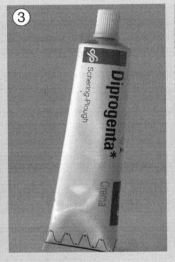

_____

Vía _____

_____

Vía _____

_____

Vía _____

_____

Vía _____

_____

Vía _____

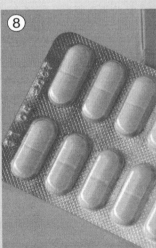

_____

Vía *oral*

7.a. Existen muchas creencias sobre la salud basadas en la sabiduría popular. Relaciona las dos columnas para completar la información. Después asocia cada texto con su correspondiente pregunta.

○ ¿Si tomamos más fósforo tendremos mejor memoria?

① ¿Adelgazaremos si nos saltamos alguna comida?

○ ¿Están más sanos los bebés gordos?

○ ¿Nos saldrán granos si comemos chocolate?

○ Cuando sufrimos de lumbalgia, ¿debemos descansar?

① Eso solo sirve para llegar con más hambre a la comida siguiente y desequilibrar la dieta. De hecho, se ha demostrado

El doctor José Miguel Láinez atribuye esta creencia a que el fósforo forma parte de las membranas neuronales, pero eso no indica nada.

② Según los científicos que comprobaron la eficacia del reposo y la compararon con la de la actividad,...

salvo en casos de alergia, aunque muchas personas están convencidas de que el chocolate les provoca granos.

③ No existe evidencia científica de que con más fósforo, ni con otro alimento o sustancia vegetal, mejore la memoria.

cuando la mortalidad infantil debida a enfermedades era alta y pocos podían alimentarse adecuadamente, estar obeso se consideraba sinónimo de salud.

④ No se ha demostrado que exista ninguna relación entre los alimentos y el acné,

que las personas que tienden a saltarse las comidas, sobre todo el desayuno, tienen mayor tendencia a la obesidad.

⑤ El origen de esta creencia hay que situarlo en períodos de carestía económica,

permanecer quietos alarga el período de recuperación. Lo mejor es mantener la actividad habitual en la medida de lo posible.

(http://perso.wanadoo.es/carlos_mateos/50falsosmitos.pdf)

b. Piensa en afirmaciones similares a las de la actividad 7.a. y completa estas frases. Tu compañero tendrá que descubrir si son verdaderas o falsas.

1. No está claro que _____

2. Todo apunta a que _____

3. Se ha podido corroborar que _____

4. Se ha puesto de manifiesto la relación entre _____ y _____

5. No se ha probado que _____

UNIDAD 9

8.a. Completa este folleto sobre consejos y sugerencias que pueden ayudar a calmar el medio de comunicación natural del bebé: el llanto.

CONSEJOS PARA CALMAR EL LLANTO DEL BEBÉ

Colóquelo (colocarlo) boca abajo en posición fetal. Es conveniente _____ (apoyar) las manos con suavidad sobre el bebé, durante unos minutos. Es necesario que _____ (mantener) una actitud relajada. Sería bueno _____ (comprobar) si lo que le pasa es que quiere mamar. Sería aconsejable también que _____ (crear) un ambiente tranquilo y sin ruidos. Otra cosa que sería conveniente es que _____ (hablarle) con cariño y _____ (ponerle) música agradable.
Es bueno que _____ (acunarle), _____ (mecerle), o _____ (pasearle).
También es útil _____ (colocar, al bebé) en la parte alta de su pecho, sobre su hombro; y _____ (dar, al bebé) un masaje desde la cabeza hasta el pañal, por encima de la ropa.
_____ (dar, al bebé) un baño relajante en agua tibia.

(Adaptado de _Los mejores cuidados para el bebé_. Instituto de Salud Pública de la Comunidad de Madrid).

b. Estas son algunas indicaciones sobre cambios en la alimentación infantil. Escribe en tu cuaderno consejos y sugerencias que daría un pediatra a partir de esta información.

6º - 7º mes	8º mes	9º - 10º mes	1 año
Cereales; fruta y verdura; carne de pollo y vaca.	_Yogur natural._	_Pescados y huevos (yema)._	_Huevos (completos) y leche de vaca._

Sería conveniente que al cumplir un año empezara a tomar leche de vaca.

😊😊 **c.** Escribe un consejo para cada una de estas situaciones sin indicar a cuál te refieres. Léeselo a tu compañero para que la identifique. ¿Cuál de vosotros ha propuesto mejores sugerencias?

Tiene piojos o liendres en la cabeza.	No deja de sangrar por la nariz.	Se ha cortado el dedo con una lata.
Le ha picado un insecto.	Se ha atragantado comiendo.	Se ha caído y ha perdido el conocimiento.

- _Es conveniente que mire hacia arriba y sople suavemente por la nariz._
- _¿Se ha atragantado?_
- _No, está sangrando por la nariz._

90 noventa

9.a. Lee estos titulares sobre salud y escribe tu reacción ante la información que sea desconocida.

Entre un 20 y un 25 por ciento de los profesores de Primaria tienen problemas de voz.

El chocolate es bueno para el corazón masculino.

Más del 60 por ciento de las mujeres pierden pelo después de dar a luz.

La OMS asegura que todos los niños tienen el mismo potencial de crecimiento.

La música contribuye a aliviar el dolor después de una intervención quirúrgica.

España es el país donde se implantan más prótesis mamarias.

(Información extraída de Revista *Salud y Futuro*, junio-septiembre 2006)

1. *No tenía ni idea de que el chocolate pudiera ser beneficioso para el corazón masculino.*
2. No sabía que _____
3. No me podía imaginar que _____
4. Es increíble que _____
5. No me podía imaginar que _____
5. Es estupendo que _____

b. Escucha y resume las intervenciones del doctor Francisco Ruiz. Señala y comenta con tu compañero qué opináis sobre las palabras del doctor. ¿Tenéis opiniones muy distintas?

Intervención	Me gusta	Me emociona	Me sorprende
1. _____ _____			
2. _____ _____			
3. _____			

● *A mí me ha gustado lo que cuenta el doctor de que se ha incrementado el número de pacientes de "Médicos sin fronteras".*

■ *Sí, a mí también. Es bueno que estas asociaciones puedan ampliar su labor en el mundo.*

10.a. **Lee la entrevista realizada al científico Jörg Blech y selecciona la opción que mejor resume el texto.**

a) El libro escrito por Jörg Blech defiende que las industrias farmacéuticas deberían centrarse en el hallazgo de medicamentos apropiados para los nuevos males de la sociedad.

b) El entrevistado argumenta que las empresas farmacéuticas tendrían que encontrar en los grupos de médicos un aliado que les permitiera investigar la invención de enfermedades.

c) Jörg Blech defiende que habría que ser más cauto ante la invención de enfermedades por parte de algunos médicos y de empresas farmacéuticas que anteponen el lucro a la ética sanitaria.

Los inventores de enfermedades

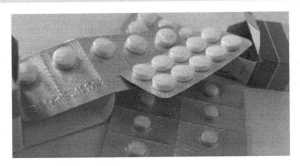

¿Quiénes son los inventores de enfermedades?

Normalmente son compañías farmacéuticas y grupos de médicos que exageran o incluso inventan dolencias. Su negocio es la venta de enfermedades. Para cada pastilla ellos inventan un mal.

¿Qué enfermedades han inventado?

En general, los inventores de enfermedades intentan transformar procesos naturales o fases de la vida normales en algo que debería ser tratado. Las mujeres que entran en la menopausia son declaradas "enfermas". El ejemplo más reciente de enfermedad inventada es el de la menopausia masculina. Los fabricantes de productos hormonales [...] ahora reclaman que el veinte por ciento de los hombres mayores (sobre sesenta años) sufren de algo llamado "menopausia masculina" o "andropausia". [...]

¿Cómo puede entenderse la paradoja de que por un lado nos estén diciendo que cada vez hay más enfermedades –muchas de ellas nuevas–, cuando la realidad nos indica que a medida que la sociedad avanza la esperanza de vida se alarga?

Esto justamente enseña que estamos más sanos de lo que creemos. Las compañías farmacéuticas reclaman que cada vez hay más enfermedades, pero la gente vive cada vez más tiempo. Curiosamente, el enorme progreso y la esperanza de vida se deben a un mejor nivel de vida, una mejor higiene, pero no a la medicina moderna.

¿Cómo podemos defendernos de este engaño y evitar convertirnos en "sus pacientes"?

Deberíamos tener presente que las enfermedades, a menudo, son creadas por médicos y compañías. Deberíamos ser más críticos cuando oímos sobre "nuevos males" en los medios. [...]

¿Qué le llevó a escribir este libro? ¿No tiene la sensación de una lucha de David contra Goliat?

Prácticamente cada semana compañías y sociedades médicas informan sobre el descubrimiento de nuevas enfermedades. Si tú coges estos hechos juntos, cada habitante del mundo occidental debería tener muchas enfermedades al mismo tiempo. Esto me llamó la atención. Empecé a investigar y averigüé que muchas enfermedades eran exageradas o eran simplemente inventadas.

No me siento como David, desde el momento en que yo, obviamente, hago sentir incómodo a alguien. Muchos médicos alaban mi libro y lo recomiendan a sus pacientes. [...]

(Adaptado de www.revistafusion.com/2005/marzo)

b. Escribe posibles condiciones que deberían darse para que cambiara la situación de la que habla Jörg Blech.

No habría tanto consumo de medicamentos, si las personas conociéramos mejor sus contraindicaciones.

1. _____
2. _____
3. _____

c. Imagina que una mañana te levantas con estos extraños síntomas. ¿Qué desearías que ocurriera para solucionar tu "nueva enfermedad"?

1. De repente te empieza a salir pelo por todo el cuerpo y tu cara cada vez se parece más a la de King Kong.

¡Aunque no pueda subir a ningún edificio como el Empire State, espero que haya alguna chica por la ciudad tan guapa como Ann Darrow a la que le gusten los tipos con pinta de gorila!

2. Tu memoria ha desaparecido y solo consigues recordar lo que te ha pasado hace 15 minutos.

Ojalá _____

_____

3. Te duele la tripa, la cara y hasta la cabeza de tanto reírte. Por mucho que lo intentas, no puedes parar.

Si me viera en esa situación, me gustaría que _____

_____

DESARROLLO DE ESTRATEGIAS

11.a. ¿Recuerdas las estrategias que has utilizado para RECORDAR MEJOR LAS EXPRESIONES NUEVAS de esta unidad? ¿Te han ayudado a aprenderlas?

_____
_____
_____
_____

☺☺ **b.** ¿Utilizan tus compañeros alguna estrategia diferente para aprender vocabulario o expresiones nuevas? Anótalas.

_____
_____
_____
_____

C MÓDULO

1.a. ¿En qué situaciones utilizas el español?

❑ Cuando estoy en clase de español.

❑ Cuando hago exámenes de español.

❑ En el trabajo.

❑ Cuando estoy con amigos que hablan español.

❑ Otras: _____

b. ¿En qué situaciones de las que has marcado en 1.a. te preocupa más cometer errores? ¿Haces algo para evitarlos?

Me preocupa cometer errores cuando…	Lo que hago es…
- …utilizo el español en el trabajo.	

c. Observa lo que hace Paul en estas dos situaciones. ¿Coincide con algo de lo que has escrito en 1.b.?

¡Qué bien! Estas vacaciones tengo la oportunidad de hablar mucho español y practicar las cosas que me resultan más difíciles. Quizá cometa errores, pero… ¡seguro que así aprendo más!

Tengo que concentrarme para intentar cometer pocos errores, porque la reunión de hoy es muy importante. Voy a hablar despacio y así tendré más tiempo para pensar en lo que voy a decir y cómo lo voy a hacer.

A partir de la situación en la que me encuentro, decido en qué medida quiero CONTROLAR EL NIVEL DE RIESGO DE MIS PRODUCCIONES EN ESPAÑOL.

☺☺ **d.** ¿Crees que puede serte útil la estrategia de CONTROLAR EL NIVEL DE RIESGO DE TUS PRODUCCIONES EN ESPAÑOL? ¿En qué situaciones y con qué objetivos? Coméntalo con tus compañeros.

2.a. Completa este crucigrama con léxico relacionado con la ciudad.

1. D I S T R I T O   2. _ A R _ _
3. Z _ _ _ S █ _ _ R E _
4. _ N _ _ C H _   5. _ _ R I _ _
6. _ _ R _ _ L █ I _ _
7. _ _ L _ _ P _ _ _ _ _
8. C _ S _ █ _ _ I _ T _ _ _ O
9. _ O _ A █ _ _ _ T _ _ L
10. P _ Q _ _ _ R _

1. Parte en que se divide una población o un territorio para su administración.
2. Parte de una población de cierta extensión, formada por un grupo determinado de edificios o habitada por un grupo determinado de personas.
3. Terreno destinado en el interior de una población a prados, jardines y arbolado. [Dos palabras]
4. Terreno dedicado a nuevas construcciones en las afueras de una población.
5. Materiales de desecho que las industrias o centrales energéticas arrojan a vertederos o al agua.
6. Camino destinado únicamente al tránsito de bicicletas. [Dos palabras]
7. Conjunto de instalaciones públicas en las que se practican varios deportes.
8. Parte central, antigua y de mayor interés artístico de una ciudad. [Dos palabras]
9. Conjunto de calles reservadas para aquellos que van a pie. [Dos palabras]
10. Máquina destinada a regular mediante pago el tiempo de estacionamiento de los vehículos.

b. Completa el texto con el vocabulario de 2.a.

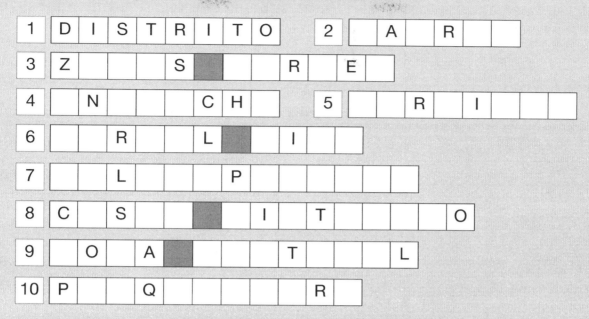

Buenos Aires es una ciudad singular y cosmopolita, en la que conviven personas de diversas culturas y religiones.
Algunos de sus _barrios_ más interesantes son: San Telmo; Caminito; el Microcentro, una _____ _____
repleta de calles de acceso restringido a los vehículos, con gran número de oficinas, restaurantes y tiendas; o Recoleta y Palermo, con sus inmensas _____ _____,
donde los porteños suelen reunirse para disfrutar de la naturaleza, tomar mate, y charlar.
Es una ciudad en la que se practica mucho deporte, así que abundan los _____ y los gimnasios de barrio. Muchas avenidas poseen _____ _____, lo que permite a los más deportistas desplazarse pedaleando y sin contaminar el medio ambiente a sus trabajos. El gran inconveniente es que las distancias son enormes.

3.a. Lee la página web de la *Plataforma M30* y piensa en las peticiones que podrían realizar las distintas asociaciones al Ayuntamiento para disminuir su descontento: ¿qué habría que hacer para evitar la contaminación atmosférica?, ¿cómo se podrían reducir los gastos?, etc.

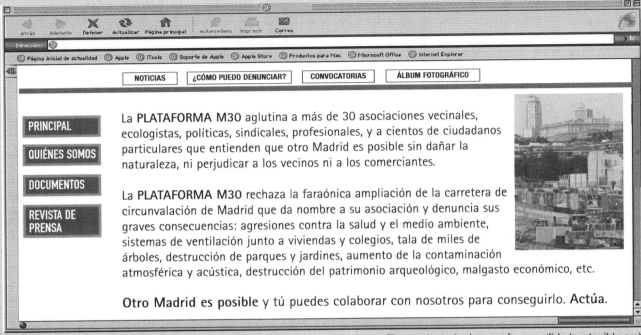

NOTICIAS | **¿CÓMO PUEDO DENUNCIAR?** | **CONVOCATORIAS** | **ÁLBUM FOTOGRÁFICO**

PRINCIPAL

QUIÉNES SOMOS

DOCUMENTOS

REVISTA DE PRENSA

La PLATAFORMA M30 aglutina a más de 30 asociaciones vecinales, ecologistas, políticas, sindicales, profesionales, y a cientos de ciudadanos particulares que entienden que otro Madrid es posible sin dañar la naturaleza, ni perjudicar a los vecinos ni a los comerciantes.

La PLATAFORMA M30 rechaza la faraónica ampliación de la carretera de circunvalación de Madrid que da nombre a su asociación y denuncia sus graves consecuencias: agresiones contra la salud y el medio ambiente, sistemas de ventilación junto a viviendas y colegios, tala de miles de árboles, destrucción de parques y jardines, aumento de la contaminación atmosférica y acústica, destrucción del patrimonio arqueológico, malgasto económico, etc.

Otro Madrid es posible y tú puedes colaborar con nosotros para conseguirlo. **Actúa.**

(Texto adaptado de www.foromovilidadsostenible.org)

Asociación de vecinos: *Necesitaríamos que el Ayuntamiento nos explicara cuánto van a durar las obras y si nos van a indemnizar por no poder dormir ninguna noche debido al ruido de las máquinas.*

Asociación ecologista:
_____
_____

Asociación política:
_____
_____

Asociación de comerciantes:
_____
_____

Asociación de profesores:
_____
_____

☺☺ **b.** **El Ayuntamiento ha expropiado el terreno donde está vuestra empresa pero os ofrece otro a cambio. En grupos, escribid una lista de peticiones con las características deseadas para el nuevo emplazamiento. Comparadla con las del resto de la clase y seleccionad las cinco peticiones mejores.**

> ¿Con que objetivo podrías utilizar la estrategia de CONTROLAR EL NIVEL DE RIESGO DE TUS PRODUCCIONES en 3b? Coméntalo con tus compañeros.

● *En cuanto a la localización, yo querría que estuviera en el centro de la ciudad, así podríamos ir en transporte público y no tendríamos que gastar dinero en gasolina.*

4.a. Localiza en el dibujo estas palabras.

| PASAJERO | ZONA COMERCIAL | PANEL DE INFORMACIÓN | SALA DE ESPERA |

| VUELO CON RETRASO | AZAFATA DE TIERRA | TARJETA DE EMBARQUE |

b. Escucha esta noticia y señala si las afirmaciones son verdaderas o falsas.

	V	F
1. Muchos pasajeros sufrieron retrasos, pero Flying se ha hecho responsable de todos los gastos.		X
2. Todos los retrasos superaron las diez horas.		
3. Numerosos pasajeros que hacían escala en Madrid perdieron sus vuelos hacia otros destinos.		
4. Los pasajeros que consiguieron que la compañía les cambiara el billete para otro día durmieron gratis en hoteles cercanos al aeropuerto.		
5. Todos los perjudicados por los problemas ocurridos con la compañía Flying se han presentado en las oficinas para reclamar sus derechos.		

😊😊 **c. Vais a crear entre todos una nueva compañía aérea. Presenta tres propuestas para dar respuesta a posibles situaciones que puedan surgir. Después, decidid entre todos cuáles son las más interesantes.**

● *Tendríamos que dejar más espacio entre los asientos, por si hubiera pasajeros de gran altura o peso.*

5.a. Lee esta carta de reclamación y anota en qué momento se realizan las siguientes acciones.

❑ Despedirse.

❑ Dar los datos del autor de la carta.

❑ Justificar los motivos de la queja.

❑ Dar los datos del receptor de la carta.

❑ Pedir una compensación.

❑ Explicar el problema detalladamente.

> LA CARTA DE RECLAMACIÓN pone de manifiesto una queja por fallos, errores, retrasos, etc. Normalmente incluye la petición de una explicación por lo sucedido y la reparación de los daños causados.

Margarita Pinto
C/ Escuelas Menores 21, 1º B
37001 Salamanca

IPELIA
C/ República Argentina 4
28005 Madrid

Salamanca, 21 de enero de 2007

Estimados Sres.:

Vuelo regularmente y en esta ocasión decidí hacerlo con ustedes. Había oído hablar de su compañía y, aunque no siempre había sido de manera favorable, me animé a conocerlos. Lamentablemente, mi penosa experiencia me ha servido para comprobar que muchas de aquellas críticas estaban justificadas y ahora me veo obligada a escribirles esta carta para que comprendan mi desagrado con su compañía. Mi vuelo Madrid – Buenos Aires, del día 15/01/07, salió con seis horas de retraso. El personal de tierra no nos dio ninguna explicación y, lo que es peor, nos vimos tratados por ellos de una forma muy humillante. Además, les informo de que soy vegetariana y de que los únicos dos menús del vuelo que me sirvieron contenían productos cárnicos: ternera o pollo. Al comunicar a las azafatas que había reservado, directamente con la compañía, menús vegetarianos, incomprensiblemente me respondieron que no había en cabina ninguno y que lo único que podían hacer era retirar la carne para convertirlos en menús vegetarianos. Me sentí totalmente discriminada.

Por todo esto, confío en que tendrán la amabilidad de contactar conmigo para darme las explicaciones oportunas y compensarme de algún modo por la humillación y falta de seriedad con la que fui tratada por parte de su compañía.

En espera de sus noticias, reciban un cordial saludo,

Margarita Pinto

b. Ayuda al responsable de atención al cliente de Ipelia a redactar nuevas propuestas que mejoren los servicios de la empresa.

1. Podríamos regalar un billete gratis a cada uno de los afectados por los retrasos, para que _____
_____

2. Sería interesante firmar un convenio con hoteles cercanos al aeropuerto para que _____
_____

3. Podríamos incluir de manera obligatoria una opción vegetariana en el menú, para _____
_____

c. En tu cuaderno, escribe una carta de reclamación explicando tu descontento por algún contratiempo que hayas tenido en algún viaje, compra, etc.

> Teniendo en cuenta la situación planteada en 5c, decide en qué medida quieres CONTROLAR EL NIVEL DE RIESGO DE TUS PRODUCCIONES. ¿Crees que puede serte útil esta estrategia para ayudarte con tu expresión escrita? Coméntalo con tus compañeros.

6.a. **Los signos de puntuación son necesarios para dar sentido a un texto escrito. Relaciona cada uno de ellos con su uso.**

La coma [,], los dos puntos [:], el punto y coma [;], el punto [.] y los puntos suspensivos [...]

Los signos de interrogación [¿ ?]

Los signos de admiración [¡ !]

La diéresis [¨]

Las comillas [" "]

El guión [–]

- informa de que se trata de un diálogo.
- indican las pausas más o menos cortas necesarias para entender el sentido del texto.
- señalan las citas o dan significado especial a las palabras que abarcan.
- avisan de que la frase es una pregunta.
- indica que la "u" tiene sonido en la combinación güe / güi.
- denotan que la frase es una exclamación: expresan una queja, sorpresa, énfasis...

b. **Completa estas frases con el nombre del signo de puntuación al que se refieren.**

a) _Los puntos suspensivos_ se usan para dejar el sentido de la oración en suspenso o para obviar aquello que el lector puede sobrentender. Dentro de un paréntesis, indican que se ha omitido parte de un texto copiado.

b) _____ sirven para indicar que se va a incluir una explicación o resumen de lo anterior. Otros casos típicos son: tras el encabezamiento de las cartas, después de expresiones como _por ejemplo_, para indicar el inicio de una enumeración o para señalar que se van a reproducir palabras textuales.

c) _____ es la pausa de mayor duración y se emplea para indicar que ha terminado una oración o frase que posee sentido completo.

d) _____ señala las pausas más breves. Algunos de los usos más frecuentes son: separar elementos que constituyen una enumeración, intercalar algún dato explicativo en una secuencia o marcar que se ha invertido el orden habitual de la oración. Algunas expresiones que suelen ir seguidas de este signo son: _finalmente, en efecto, en fin, esto es, es decir, por consiguiente, sin embargo, no obstante_, etc.

e) _____ es una pausa que dura menos que el punto y más que la coma. Se utiliza fundamentalmente para evitar confusiones cuando ya hay una coma en una secuencia que, a su vez, tiene que separarse de otra. Ejemplo: _Primero, ve a casa de Juan; después, vuelve y te doy el dinero._

☺☺ **c.** **Localiza los errores de puntuación que hay en estas oraciones y corrígelos. Compara tus correcciones con las de tus compañeros.**

1. Hoy me ha llamado María la hermana de Juan para ofrecerme un trabajo en su empresa.
2. ¿Qué contento estoy? He comprado todo lo que necesitaba para la fiesta. La comida la bebida y el traje rojo que había visto el otro día en Cara.
3. Los Rodríguez fueron el año pasado de vacaciones a Ciudad del Cabo dicen que allí vieron las playas más impresionantes de su vida.
4. ¡Sabes qué dijo Kennedy delante de miles de berlineses en 1963! Es una de las frases más recordadas: Yo también soy un berlinés.
5. Han venido todos a verlo: Juan, María, Teresa. En fin la pandilla al completo.
6. Este ejercicio ya lo has terminado, el siguiente, todavía no.

7.a. Escucha al alcalde de Laureles de Arriba y relaciona las tres columnas.

PROYECTO		CONDICIÓN
1. La ampliación del pantano se realizará en los meses de verano,	**salvo que**	los comerciantes se ponen de acuerdo.
2. Los paneles solares se colocarán en todas las viviendas,	**si**	haya pocas precipitaciones.
3. La primera obra terminada será el polideportivo,	**siempre que**	estas no tengan más de dos alturas.
4. El mercado de los martes se reubicará en la plaza del pueblo,	**a no ser que**	haya imprevistos o fuerzas mayores.
5. Los cortes de agua van a producirse siempre después de las 15:00,	**siempre y cuando**	la constructora incumpla los plazos prometidos.

b. Un vecino de Laureles de Arriba ha escrito una carta de queja para dejar constancia de que los retrasos que están sufriendo las obras no se deben al incumplimiento de las condiciones establecidas. Completa su carta basándote en la información de 7.a.

Laureles de Arriba, 12 enero de 2007

Estimado Alcalde:

Somos un grupo de vecinos y le escribimos para informarle de que estamos muy descontentos con el plan de remodelación de nuestro pueblo. Nos ha cambiado la vida demasiado y vemos que las obras no están respetando el plan original. Le enumeramos algunos datos:

En primer lugar, nos dijeron que la ampliación del pantano se realizaría en los meses de verano <u>siempre y cuando hubiera pocas precipitaciones</u>. Este verano ha sido muy seco y todavía no han empezado con la ejecución de las obras.
En segundo lugar, nos prometieron que los paneles solares se colocarían en las viviendas _____. Sin embargo, nos han dicho que solo están presupuestadas para tres casas del pueblo.
Por otro lado, nos explicaron que la primera obra terminada sería el polideportivo _____. Han pasado ya ocho meses y nos parece vergonzoso que aún no hayan puesto ni la primera piedra.
Asimismo, dijeron que reubicarían el mercado de los martes en la plaza del pueblo _____. No ha habido ni uno solo que se haya opuesto al cambio y, sin embargo, siguen teniendo que organizar sus puestos a las afueras del pueblo.
Por último pero no por ello menos importante, nos aseguraron que los cortes de agua serían después de las tres de la tarde, _____ _____. Ni un solo vecino del pueblo ha podido ducharse por la mañana desde hace más de tres meses y no entendemos cuál es la fuerza mayor que puede justificar este hecho.

Esperamos urgentemente una respuesta; reciba un cordial saludo,

Dante Saavedra

C. **Estas son las quejas y peticiones de algunos vecinos de Laureles de Arriba. Resume lo que dice cada uno de ellos.**

Mariana Escribá
32 años, maestra

"Yo no sé qué va a pasar con los alumnos este año. Según el Ayuntamiento no hay ningún sitio donde se puedan impartir las clases. Deberían haber terminado la escuela para que pudiera empezar el curso y falta muchísimo por hacer. ¿Hay algún vecino que pueda ceder su establo, almacén o casa de forma provisional para que las clases puedan dar comienzo?"

Queja: _____

_____

Petición: _____

_____

Marcelo Rastrillo
55 años, agricultor

"Y yo me pregunto: si hay tan poca agua en el pantano, ¿no se debería haber hecho ya la ampliación para que cuando vengan las épocas de lluvia podamos almacenar mayor cantidad? Vamos, que este año para los agricultores está siendo un desastre, pero no hay señales por parte del Ayuntamiento que indiquen que esto vaya a mejorar en el futuro."

Queja: _____

_____

Petición: _____

_____

Marcos Potro
9 años, estudiante

"Pues estoy muy triste. Resulta que este año no voy a poder entrenar porque el polideportivo está sin terminar. No hay nadie que nos entrene al aire libre, porque dicen que el frío, en invierno, es terrible aquí en mi pueblo. Y los pueblos más cercanos tampoco tienen las instalaciones que necesitamos para hacer gimnasia deportiva. ¡Qué mal!"

Queja: _____

_____

Petición: _____

_____

Marta Peine
45 años, peluquera

"Una pena, un desastre. La gente de Laureles está absolutamente desmoralizada... En fin, que no hay nadie que quiera arreglarse un poquito y venir a peinarse. Así que llevo cuatro meses sin clientela. Yo que antes buscaba una peluquera para que me pudiera ayudar en la peluquería, ahora creo que voy a tener que cerrarla. Un desastre absoluto. Los comerciantes deberíamos unirnos para encontrar una solución."

Queja: _____

_____

Petición: _____

_____

☺☺ **d.** **Elige los dos problemas más graves de Laureles de Arriba y propón una solución. Compara tus propuestas con las de tus compañeros y seleccionad las mejores alternativas.**

Para mí, el problema más grave es que los chavales no tengan un sitio donde recibir las clases. Creo que la Iglesia y el Ayuntamiento deberían ofrecer sus instalaciones.

_____

_____

☺☺ **8.a. Realiza este test para comprobar tus conocimientos sobre algunas normas de educación vial. Después, añade dos preguntas con tres respuestas para cada una –dos falsas y una verdadera– y házselas a tus compañeros.**

1. Como norma, ¿por dónde deben circular los peatones?

   a. Por la mediana.
   b. Por la acera.
   c. Por el carril bus.

2. ¿Está permitida la circulación de bicicletas por una autovía?

   a. Sí.
   b. No.
   c. Sí, pero con casco homologado.

3. No llevar puesto el cinturón de seguridad en el coche es...

   a. ...motivo de multa.
   b. ...posible en ciudad.
   c. ...posible cuando el límite de velocidad es de 50 km/h.

4. Además del carné de conducir, ¿debe llevar algún otro documento cuando conduzca?

   a. Sí, la póliza del seguro obligatorio.
   b. No, con el carné de conducir es suficiente.
   c. Sí, el carné de conducir, la ficha técnica del coche y la póliza del seguro.

5. En caso de contradicción entre el mensaje emitido por un semáforo y una orden de los agentes de circulación, ¿qué debe hacer?

   a. Obedecer las indicaciones del semáforo.
   b. Atender al mensaje más restrictivo.
   c. Obedecer siempre la orden del agente de circulación.

6. En un paso de cebra...

   a. ...es posible estacionar.
   b. ...siempre tiene preferencia el peatón.
   c. ...está permitido bajar pasajeros.

7. _____

   a. _____
   b. _____
   c. _____

8. _____

   a. _____
   b. _____
   c. _____

Soluciones: 1b, 2b, 3a, 4c, 5c, 6b.

b. Dante, un profesor de autoescuela, está enseñando a conducir a su sobrino Bruno. Escucha y marca el orden en que se mencionan estas señales.

a. ☐

b. ☐

c. ☐

d. ☐

e. ☐

f. ☐

☺☺ **9.** ¿Te llaman la atención los comportamientos que aparecen en estas imágenes? En tu cultura o en otras que conozcas, ¿podría ocurrir lo mismo en estas situaciones? Coméntalo con tus compañeros.

Utiliza la estrategia de CONTROLAR EL NIVEL DE RIESGO DE TUS PRODUCCIONES en esta actividad y comenta con tus compañeros cómo lo has hecho y si te ha resultado útil.

DESARROLLO DE ESTRATEGIAS

10.a. ¿Crees que puede ser útil la estrategia de CONTROLAR EL NIVEL DE RIESGO DE TUS PRODUCCIONES EN ESPAÑOL? ¿En qué situaciones crees que puede ayudarte?

_____

_____

☺☺ **b.** Comenta con tus compañeros tus reflexiones acerca de esta estrategia. ¿Consideran ellos que les puede resultar útil? ¿En qué situaciones?

_____

_____

MÓDULO C

1.a. Cuando cometes algún error en español, ¿piensas o dices alguna de estas cosas?

	Nunca	Casi nunca	Alguna vez	Con frecuencia
¡Qué difícil es el español! Tendría que haber elegido otro idioma más fácil.				
¡¿Por qué se me darán tan mal los idiomas?!				
Nunca hablaré español tan bien como me gustaría.				
¡Qué horror! Creo que nunca dejaré de cometer errores.				

b. Según tu experiencia, ¿cometer errores puede ser positivo para el proceso de aprendizaje de lenguas? Escribe tus reflexiones.

_____
_____
_____

c. Paul ha cometido un error. Fíjate en lo que piensa. ¿Coincide con algo de lo que has escrito en 1.b.?

Creo que este error lo cometí también la semana pasada en otro ejercicio de clase… Quizá el problema está en que no he entendido cómo tengo que utilizar esta estructura. El próximo día voy a pedirle al profesor que lo explique otra vez. Además, me voy a concentrar en este aspecto gramatical para intentar solucionarlo.

☺☺ **d.** ¿Crees que CONSIDERAR LOS ERRORRES COMO PARTE NECESARIA Y POSITIVA DEL PROCESO DE APRENDIZAJE puede ayudarte a aprender español? Coméntalo con tus compañeros.

2.a. Observa las siguientes series de palabras y busca el intruso en cada una de ellas.

El intruso no tiene relación con...			
el pelo	los pantalones	los complementos	la ropa
⬇	⬇	⬇	⬇
perilla trenza (estrecho) de punta	anchos ajustados de campana de mangas	pulsera cadera pendiente anillo	amargada superpuesta ajustada extravagante

b. Fíjate en la vestimenta de estos jóvenes y completa los huecos con palabras de 2.a.

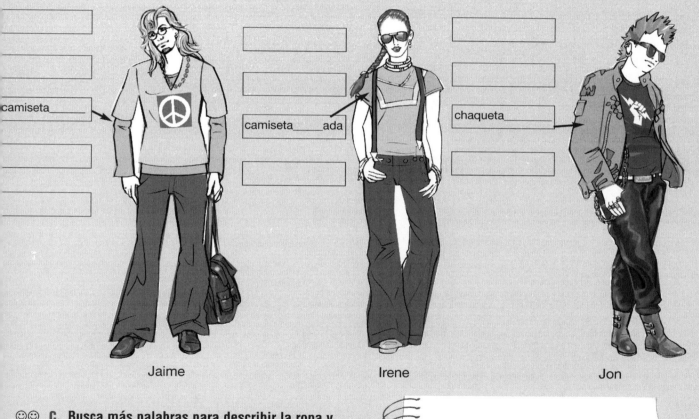

camiseta_____

camiseta_____ada

chaqueta_____

Jaime

Irene

Jon

😊😊 **c.** Busca más palabras para describir la ropa y los complementos de los personajes de 2.b. Compáralas con las de tus compañeros.

3.a. Lee estos textos sobre figuras destacadas de la moda del siglo XX y completa las frases con los nombres de estos tres diseñadores y con el verbo entre paréntesis en la forma verbal correspondiente.

Moda del siglo XX
Los grandes diseñadores

Mary Quant

Popularizó la minifalda, prenda con la que alcanzó el éxito en 1957. Ese mismo año abrió su primera boutique en Londres. Este local fue todo un éxito y siete años después de su apertura su fama se extendió por toda Europa y por Estados Unidos. No por este motivo dejó de atender su negocio de cosméticos, fundado en 1955.

Christian Dior

Impuso el denominado *new look* con prendas de hombros estrechos y faldas hasta la rodilla en 1947, un año después de inaugurar su propio salón en París.
En sólo diez años (1947-1957) logró convertir su firma en una de las casas de moda más famosas a nivel mundial.

Coco Chanel

Abrió una sombrerería en París en 1914 y una década después creó una nueva línea marcada por un estilo más clásico. Durante los años de la II Guerra Mundial y de la posguerra dejó de diseñar. 1954 fue un año decisivo en su carrera, ya que revivió con éxito su línea clásica creada años antes.

(Información extraída de www.buscabiografías.com)

1. _____ abrió su propio negocio once años antes de que Mary Quant _____ (triunfar) con la minifalda.

2. _____ introdujo su estilo más de tres décadas después de que Chanel _____ (abrir) una sombrerería en París.

3. _____ decidió abrir su primera boutique dos años después de _____ (fundar) su primer negocio.

4. Casi 20 años antes de que Dior _____ (inaugurar) su propio salón en París, _____ lanzó su línea de estilo clásico.

b. Lee estas anotaciones sobre la vida del diseñador español Cristóbal Balenciaga y escribe su biografía comparando cronológicamente los datos de su vida con los de las vidas de los diseñadores de 3.a.

- 1895 (Guetaria, País Vasco): nacimiento
- 1937 (París): su primera casa de modas
- 1940: precursor del "new look"
- 1951: nuevo estilo "cintura caída"
- 1958: distinción de Caballero de la Legión de Honor
- 1968: cierre de su casa de alta costura; jubilación
- 1972 (Jávea, Alicante): muerte

_____
_____
_____
_____
_____
_____
_____
_____
_____
_____

4.a. Lee este texto sobre el uso de la televisión y la educación de los hijos. Busca semejanzas y diferencias entre los Ayala y tu experiencia cuando eras pequeño. Recuerda qué te permitían, exigían y prohibían tus padres con respecto a la televisión.

La televisión y la familia

El matrimonio Ayala, Adela y Daniel, tiene dos hijas, Carolina de ocho años y Gabriela de cuatro. Carolina llega del colegio a las 3:00, enciende la televisión y merienda viendo un programa. Después deja de ver la tele para hacer sus deberes y para practicar un poco con el piano. Esto le lleva más o menos una hora. Cuando Gabriela llega de la guardería, a las 5:00, salen a la calle a jugar. Una hora más tarde vuelven a casa, cenan y ven de nuevo la televisión hasta las siete y media. Es entonces cuando se bañan y se van a la cama. Adela reconoce que ella y su marido utilizan la televisión para mantener a las niñas tranquilas y sin pelearse. No les permite ver nada violento e intenta que sean programas educativos. Elena, la madre de Adela, vive cerca y todas las semanas se lleva a una de las niñas a pasar el viernes por la tarde y el sábado con ella. El pasado fin de semana Adela y Daniel tenían un compromiso social y le pidieron que se llevara a las dos. Cuando llegó Daniel a recogerlas, Elena le dijo que le habían dado problemas. Cuidar de una sola era fácil para ella, pero tener que ocuparse de las dos le había resultado demasiado complicado. Se habían peleado mucho y no había podido controlarlas. Daniel se enfadó y decidió castigarlas prohibiéndoles ver la televisión durante una semana. Cuando la abuela supo la reacción de Daniel se sintió muy triste y pensó que el castigo era excesivo. En ningún caso se esperaba lo que Daniel y Adela le contaron al final de la semana.

Resultó que estaban tan encantados con el castigo que habían decidido eliminar completamente la televisión para las niñas durante la semana y solo la iban a tolerar unas pocas horas durante el fin de semana. Adela se dio cuenta de que no encender la televisión implicaba recuperar a sus dos hijas. Durante la semana las niñas habían conversado con Adela y entre ellas, habían jugado muchísimo y, en definitiva, habían tenido tiempo para todo. Además, habían colaborado mucho más en los quehaceres de la casa, en lugar de estar pegadas a la caja tonta.

Fue así como el matrimonio Ayala se dio cuenta de cómo la televisión estaba esclavizando a sus hijas. Al ver lo beneficioso que había resultado el castigo, el propio Daniel decidió hacer lo mismo. Ahora también él tiene tiempo para leer y ponerse al día con muchas de las cosas que tenía pendientes. Adela, que nunca había sido amante de la televisión, está contenta de ver cómo han cambiado las cosas.

(Texto inspirado en www.padresehijos.org)

☺☺ **b.** En grupos comparad las semejanzas y diferencias que habéis encontrado en 4.a. y decidid quién tenía los padres más estrictos; justificad vuestra decisión.

● *Creemos que los padres más estrictos eran los de Elisabeth porque únicamente le dejaban que viera la tele dos horas a la semana y solo le permitían ver programas deportivos.*

5.a. Con el paso de los años, ¿han cambiado tus hábitos? Piensa en estos contextos y en cosas que has dejado de hacer o que sigues haciendo.

He dejado de ir tanto al cine… pero sigo viendo películas en la televisión.

tiempo libre   comida   familia   personalidad

😊😊 **b.** Compara tus respuestas con las de tus compañeros. ¿Con quién coincides más?

6.a. Completa las tablas con las formas verbales correspondientes.

PRETÉRITO PLUSCUAMPERFECTO DE SUBJUNTIVO				
	PONER		ESCRIBIR	ABRIR
yo				
tú				
él/ella/usted	hubiera/hubiese puesto			
nosotros/as				
vosotros/as		hubierais/hubieseis visto		
ellos/as/ustedes				

CONDICIONAL COMPUESTO				
	VOLVER	HACER		DECIR
yo	habría vuelto			
tú				
él/ella/usted				
nosotros/as				
vosotros/as				
ellos/as/ustedes			habrían roto	

b. Subraya la forma correcta de cada pareja. Fíjate en el número que acompaña al verbo seleccionado y colorea el recuadro que le corresponde. Si lo haces correctamente, aparecerá un dibujo.

ponido (6) puesto (2)	abreríamos (13) abriríamos (11)	decirían (24) dirían (18)	habría vido (1) hubiéramos visto (29)
cabería (8) cabría (7)	hubiéramos comado (12) habríamos comido (30)	hubieres decido (21) habrías decidido (23)	habría convertado (16) hubiéramos convertido (14)
salería (4) saldría (9)	saberíamos (10) sabríamos (17)	querríamos (20) quereríamos (22)	hubieran devuelto (25) habríais devolvido (28)
hubiera dicho (5) habrían decido (3)	verías (15) verrías (32)	se hubiera venido (27) hubiera se venido (26)	vendrías (31) venerías (19)

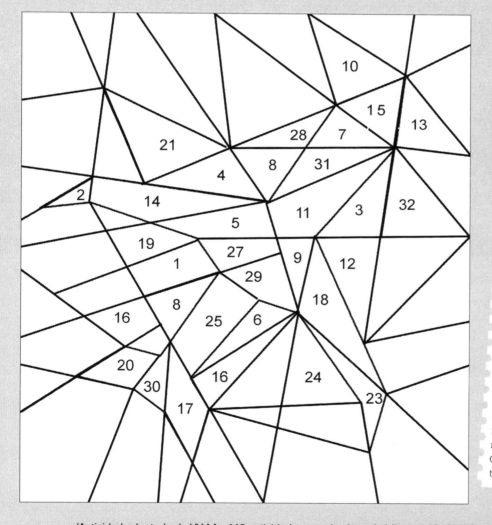

Aplica la estrategia de CONSIDERAR LOS ERRORES COMO PARTE NECESARIA Y POSITIVA DEL PROCESO DE APRENDIZAJE en la actividad 6. ¿Crees que puede ser útil enfrentarse al error de forma positiva? ¿Utilizas otras estrategias para que los errores no te afecten negativamente? Coméntalo con tus compañeros.

(Actividad adaptada de VV.AA.: 110 actividades para la clase de idiomas, Madrid, Cambridge University Pres, 2001.)

c. Si detectas que sobra o falta algún espacio por colorear, vuelve a 6.b. para localizar dónde está el error y corrígelo.

7.a. En todas estas palabras hay tres vocales seguidas, pero solo podemos hablar de TRIPTONGO cuando esas tres vocales forman parte de una misma sílaba. Observa y escucha dos veces cada una de las palabras. Compáralas y selecciona la definición de triptongo correcta.

tra-éis   in-quie-tud   lim-**PIÁIS**   vi-ví-ais   con-**FIÉIS**   sa-bo-re-éis

e-va-**LUÁIS**   sa-lí-ais   es-tro-pe-éis   con-ti-**NUÉIS**   es-ta-rí-ais   o-í-ais

definición A

Un triptongo es la combinación de tres vocales en una única sílaba. La fuerza de entonación debe recaer necesariamente en la vocal central. La combinación vocálica responde al siguiente esquema:

Vocal cerrada	Vocal abierta	Vocal cerrada
i u	+ **A** **E** **O** +	i u

definición B

Un triptongo es la combinación de tres vocales en una única sílaba. La fuerza de entonación debe recaer necesariamente en la primera o en la tercera vocal. La combinación vocálica responde a uno de los siguientes esquemas:

Vocal cerrada	Vocal abierta	Vocal cerrada
I **U**	a + e + o	i u

Vocal cerrada	Vocal abierta	Vocal cerrada
i u	a + e + o	**I** **U**

b. Escucha dos veces cada una de las siguientes palabras, marca la vocal que recibe la fuerza de entonación y sepáralas en sílabas. Además de la definición de triptongo de 7.a., ten en cuenta la teoría sobre diptongos e hiatos trabajada en la unidad 9.

intercambieis ◆ intercambiEis__	④	③	②	①
	in	ter	cam	biEis
huiais ◆ _____				
estudiais ◆ _____				
hablariais ◆ _____				
espieis ◆ _____				
paraguayo ◆ _____				
caeis ◆ _____				
rodeeis ◆ _____				
quiosco ◆ _____				
evalueis ◆ _____				

¿Has cometido algún error en la actividad 7? Aplica la estrategia de CONSIDERAR LOS ERRORES COMO PARTE NECESARIA Y POSITIVA DEL PROCESO DE APRENDIZAJE. Después, comenta con tus compañeros si esta estrategia te ha resultado útil o no y por qué.

C. Clasifica las palabras de 7.b. en la tabla atendiendo a la sílaba que recibe la fuerza de entonación. Después, decide cuáles llevan tilde y cuáles no. Para ello, ten en cuenta que los triptongos siguen las reglas generales de acentuación vistas en la Unidad 6 y recuerda las reglas para diptongos e hiatos estudiadas en la Unidad 9.

Palabras agudas	Palabras llanas	Palabras esdrújulas
Tienen la **fuerza** de entonación en la **1ª sílaba** empezando a contar por el final de la palabra. ④ ③ ② ❶	Tienen la **fuerza** de entonación en la **2ª sílaba** empezando a contar por el final de la palabra. ④ ③ ❷ ①	Tienen la **fuerza** de entonación en la **3ª sílaba** empezando a contar por el final de la palabra. ④ ❸ ② ①
in-ter-cam-biÉis		

8.a. Escucha el programa de radio *La hora rosa* y escribe el nombre de cada escritor junto a su deseo.

JAIME BAYLY	ALFREDO BRYCE ECHENIQUE	MARIO BENEDETTI

Pensamientos de grandes personas

De no haber sido escritor, me habría encantado que alguien me hubiera ofrecido un trabajo como detective.
. . . .

Siempre supe que quería ser escritor. Lo único que también me habría gustado ser es campeón de ping-pong.
. . . .

Me habría encantado que mi vida hubiera sido completamente distinta.
. . . .

De no haber sido escritor, me habría encantado ser escritora.
. . . .

Lo que más me hubiera gustado es que el amor de mi vida se hubiera enamorado de mí alguna vez.
. . . .

Lo cierto es que me habría gustado que nadie hubiera leído mi primera novela y haberme dedicado a la política o a la religión.
. . . .

Me habría gustado ser torero... o a lo mejor toro.

b. Piensa en diferentes aspectos de tu vida: profesión, físico, personalidad, viajes, amistades, amor... ¿Qué deseos no has visto realizados?

Me habría encantado ser _____

Me hubiera gustado mucho que _____

También me habría gustado que _____

Y, por último, me hubiera encantado _____

¿Has cometido errores en la actividad 8a? ¿Cómo has reaccionado? ¿Has aplicado la estrategia de CONSIDERAR TUS ERRORES COMO PARTE NECESARIA Y POSITIVA DEL PROCESO DE APRENDIZAJE? ¿Te ha ayudado?

☺☺ **C.** Compara tus frases con las de tus compañeros. ¿Con quién coincides más?

9.a. Cuando reflexionas sobre tus acciones, ¿te sientes culpable? Haz este test inspirado en la revista *Psychologies*, nº 21 y descúbrelo.

¿Te culpabilizas demasiado?

1. La semana pasada tenías que colaborar con unos compañeros en un proyecto y no pudiste participar lo suficiente porque tenías problemas personales. Piensas:

   ☐ Si hubiera podido dedicarle más tiempo, es probable que el resultado hubiera sido mejor.

   △ ¡Qué vergüenza! Seguro que la gente piensa que soy un vago.

   ○ Ha sido injusto para mis compañeros que me haya implicado tan poco en este trabajo.

2. La semana pasada te invitó un amigo a su fiesta de cumpleaños. A ti no te apetecía ir y te quedaste en casa. Hoy piensas:

   ☐ Si me hubiera apetecido, habría ido, pero no tenía ganas. ¿Hay algún problema?

   △ Si hubiera ido, ahora no me sentiría tan mal. ¡No se puede faltar a la fiesta de un amigo!

   ○ ¡Menos mal que me inventé una excusa para no ir! Seguro que si le hubiera dicho que no me apetecía, se habría enfadado conmigo.

3. Ayer reservaste una mesa en un restaurante. En el último momento surgió un problema y... ¡se te olvidó llamar para anular tu reserva! Hoy piensas:

   △ Seguro que se quedó nuestra mesa vacía... Si hubiera llamado para anular la reserva, los del restaurante no habrían perdido dinero por mi culpa.

   ○ Seguro que alguien que pasaba por allí preguntó si había alguna mesa libre y, al ver que no habíamos llegado, le dejaron sentarse en la nuestra.

   ☐ Tengo que solucionar lo que hice. Voy a ir otro día a cenar con amigos y pediré perdón.

4. El otro día tu sobrino se puso a llorar porque te olvidaste de llevarle su regalo de cumpleaños. Hoy te has acordado...

   ○ ...y te has emocionado recordando lo mal que lo pasó. Te habría encantado no haberte olvidado y decides buscar una solución.

   ☐ ...y lo has pasado muy mal. Si no te hubieras olvidado, él habría podido disfrutar de su cumpleaños.

   △ ...y te has sentido muy triste; por eso le has llamado para invitarlo al zoo este sábado.

5. Un amigo tuyo que está hecho polvo porque tiene muchos problemas con su pareja te mandó el otro día un SMS para quedar. A ti se te olvidó contestarle y te dicen que ha intentado suicidarse. Piensas:

   ○ ¡Qué horror! Seguro que si hubiera hablado con él, no habría intentado quitarse la vida.

   △ ¡Me da muchísima pena ver lo que son capaces de hacer las personas que están deprimidas!

   ☐ Pobrecillo, debe de estar pasándolo fatal. Me hubiera gustado haberlo llamado.

6. Muchas personas cercanas a ti tienen problemas que no les permiten disfrutar de la vida. Sin embargo, tú llevas una temporada muy feliz y últimamente todo te sale bien. Piensas:

   ○ Yo no puedo hacer nada. Aparentar que yo también tengo problemas no les haría a ellos más felices.

   △ Sería completamente injusto que me mostrara feliz delante de la gente que no lo es.

   ☐ A veces no es fácil sentirse feliz cuando ves que los demás tienen tantos problemas.

Marca la respuesta que hayas dado para cada pregunta y cuenta el total de A, B y C. Después lee el texto que se corresponde con tu perfil.

	□	△	○
1.	A	B	C
2.	A	C	B
3.	B	C	A

	□	△	○
4.	C	A	B
5.	B	A	C
6.	C	B	A

Número total de:

A:	B:	C:

Mayoría de A
No te sientes en absoluto identificado con el sentimiento de culpabilidad. Estás completamente en contra de la tendencia que observas en muchas personas a sentirse culpable por cada cosa que hacen o sienten. Tu verdadera preocupación es descubrir cuáles son tus pensamientos y sentimientos. Lo que opinen los demás sobre qué deberías pensar o sentir no te interesa. A veces te preguntas si has hecho mal las cosas o si has podido ofender a alguien, pero no pierdes mucho tiempo en reflexionar sobre lo que ya está hecho y no puedes cambiar. Eres una persona muy espontánea y hay pocas cosas que te gusten más que ser tú mismo.

Mayoría de B
Piensas que todos somos responsables de lo que hacemos y decimos. Esto hace que a veces te sientas culpable, sobre todo cuando consideras que has hecho daño a alguien. Te esfuerzas por saber lo que siente la gente que te rodea. Cuando detectas problemas a tu alrededor, reflexionas sobre la parte de culpa que puedas tener en ellos. Si consideras que eres responsable, aunque solo sea en parte, no tienes ningún problema en pedir perdón o en reaccionar con un cambio de comportamiento o un acto reparador. Aunque tu preocupación por no hacer daño puede hacer que te sientas culpable, intentas que este sentimiento no domine tu vida.

Mayoría de C
La culpabilidad tiene un gran peso en tu vida y te hace sufrir demasiado. Eres capaz de sentirte culpable incluso sin haber hecho nada. Tiendes a verte como una persona mucho peor de lo que eres: no valoras tus virtudes –que sin duda las tienes y son muchas– y agrandas tus defectos. Siempre piensas que la culpa ha sido tuya y que deberías haberlo hecho mejor. Todo el mundo te quiere porque estás siempre pendiente de agradarles. Eso es bueno, pero... ¡piensa un poco más en ti mismo y un poco menos en los demás!

☺☺ **b.** Comenta con tu compañero los resultados del test. ¿Estáis de acuerdo con vuestro perfil? ¿Por qué?

DESARROLLO DE ESTRATEGIAS

☺☺ **10.** ¿En qué medida te ha ayudado la estrategia DE CONSIDERAR LOS ERRORES COMO PARTE NECESARIA Y POSITIVA DEL PROCESO DE APRENDIZAJE a lo largo de la unidad? ¿Y a tus compañeros?

_____

_____

_____

☺☺ **11.** ¿Utilizáis tú o tus compañeros alguna estrategia diferente ante los errores? ¿Cuál?

_____

_____

_____

C MÓDULO

1.a. ¿Qué haces para aprender español fuera de clase?

❏ Mantengo contacto con el español a través de Internet: correos electrónicos, páginas web, chats…

❏ Participo en intercambios con hablantes de español.

❏ Me grabo hablando o leyendo en español para escucharme y ver qué puedo mejorar de mi pronunciación.

❏ Veo películas de habla hispana en versión original.

❏ Repaso la gramática y el vocabulario que he trabajado en clase de español.

❏ Cuando pienso en mis cosas, a veces lo hago en español en lugar de hacerlo en mi lengua materna.

❏ Otros: _____

b. Paul terminó su curso de español la semana pasada. Observa la estrategia que utiliza para seguir practicando fuera de clase. ¿Crees que esta estrategia podría ayudarte a seguir mejorando tu español?

"Paul, si me hubieras dicho antes que ibas a venir a Sevilla, te habría ofrecido mi casa." ¡Anda, esta es justo la última estructura que vimos en clase para expresar deseos! Voy a intentar contestar con la misma estructura para ver si lo hago bien, porque me parece un poco difícil. A ver… ¿qué puedo decir? "¡Gracias, Jorge! La verdad es que si se me hubiera ocurrido, te lo habría dicho, pero no lo pensé. La próxima vez te lo pediré, ¿vale?".

ACTÚO COMO RESPONSABLE DE MI APRENDIZAJE Y CRÍTICO DE MIS PRODUCCIONES.
Reflexiono sobre cuáles son los aspectos de la lengua en los que tengo más dificultades y fomento mi auto-aprendizaje buscando el medio más apropiado para superarlas.

c. ¿Crees que ACTUAR COMO RESPONSABLE DE TU APRENDIZAJE Y CRÍTICO DE TUS PRODUCCIONES puede servir para mejorar tu español? ¿Cómo puedes hacerlo y en qué situaciones? Coméntalo con tus compañeros y anota las reflexiones que te parezcan más útiles e interesantes.

_____

_____

2.a. Clasifica en el gráfico este vocabulario relacionado con el mundo de la informática.

MI NUEVO ORDENADOR TIENE:

NO NECESITO CONEXIÓN A INTERNET PARA:

cámara web – usar la base de datos – chatear – crear un blog – pantalla de plasma
hacer una llamada – utilizar el procesador de textos – participar en un foro
descargar música – utilizar juegos electrónicos – adjuntar un archivo a un correo
~~enviar correos electrónicos~~ – escuchar música – hacer un curso a distancia
conexión inalámbrica – usar listas de distribución – reproductor de DVD – ver películas
colgar algo en la red – antivirus

NECESITO CONEXIÓN A INTERNET PARA:

Enviar corrreos electrónicos

b. ¿Qué les falta a los ordenadores de estas personas? Completa las frases con vocabulario de 2.a.

1. Me gustaría poder ver a mis amigos mientras chateo con ellos; pero no tengo...

2. Me encantaría ver una película que me han prestado pero, no puedo hacerlo; no tengo...

3. Cada vez que paso más de dos horas delante del ordenador me duelen los ojos; es que no tengo...

4. Estoy harto de tener que usar un cable para acceder a Internet; no tengo...

5. Al encender el ordenador he visto que me han desaparecido ficheros importantes; me falta un...

☺☺ **c.** Comenta con tu compañero las características de vuestros ordenadores. ¿Echáis de menos alguna prestación?

- *Me encantaría poder grabar música, pero mi ordenador no tiene grabadora de cedés.*

¿Cómo podrías aplicar la estrategia de ACTUAR COMO RESPONSABLE DE TU APRENDIZAJE para continuar aprendiendo vocabulario? Coméntalo con tus compañeros

3.a. **¿Eres usuario de Internet? Señala cuáles de estas reglas debes seguir y cuáles no.**

	SÍ	NO
1. Hay que desconfiar de los correos electrónicos no solicitados.	X	
2. Tienes que vaciar la papelera.		
3. No distribuyas bromas de virus, alarmas o cartas en cadena.		
4. Contesta siempre a los mensajes spam o con publicidad no deseada.		
5. Es preferible eliminar todos los correos sospechosos.		
6. Debes hacer copias de seguridad con frecuencia.		
7. Confía en los archivos gratuitos que se descargan de sitios web desconocidos.		
8. Se debe verificar periódicamente que el antivirus está actualizado.		

b. **Fíjate en las frases de 3.a. y encuentra seis formas para expresar normas en español.**

Tener que + infinitivo _____   _____

_____   _____

_____   _____

> A partir de los contenidos trabajados en la actividad 3 y de los posibles errores que hayas cometido en tus respuestas, ¿qué podrías hacer para ACTUAR COMO RESPONSABLE DE TU APRENDIZAJE?

☺☺ c. **¿Qué precauciones tomas tú para proteger tu ordenador? Coméntalo con tu compañero.**

- *Yo elimino todos los correos sospechosos. Hay que desconfiar de lo que te llega sin haberlo solicitado.*
- *Sí, y es conveniente hacer copias de seguridad con frecuencia.*

4.a. **Escucha las intervenciones del Doctor Mauro Ayala (M.A.) y Arturo Olave (A.O.) sobre la adicción de los jóvenes al móvil. Señala cuáles de estas opiniones han sido defendidas en el programa y anota a quién pertenece cada una.**

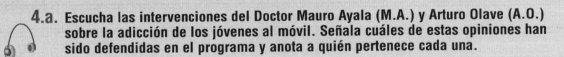

Para mí, el uso que hagan los padres del móvil no va a evitar las adicciones de sus hijos.

A.O.

Veo una tontería que enseñemos a los jóvenes a convivir de manera sensata con los móviles.

A mi parecer habría que hacer desaparecer todos los móviles para acabar con las adicciones.

Veo imposible que los jóvenes se integren socialmente sin imitar la actitud de su entorno: necesitan un móvil.

No veo que haya nada de malo en que el 95% de los jóvenes tengan móvil.

Considero que un uso racional del móvil por parte de los padres puede evitar la adicción al móvil de los hijos.

☺☺ b. **¿Y tú qué opinas sobre la adicción al móvil? Coméntalo con tu compañero.**

- *Yo considero una tontería que, por tener móvil, un niño de doce años acabe enganchándose. Para eso está la labor de los padres, ¿no?*

C. Estas son algunas opiniones sobre el tema tratado en "De tarde en tarde". Complétalas y escribe si estás o no de acuerdo con ellas.

> Veo normal que _____ (ser) la familia quien deba prestar atención a los primeros signos de alarma.
>
> Borja

> Considero una tontería que algunos _____ (pensar) que los móviles ofrecen a los usuarios libertad, independencia y facilidad de comunicación.
>
> Maribel

> A mi parecer _____ (ser) una locura que hayan inventado el llamado "manos libres" para poder hablar por teléfono mientras conduces.
>
> Lourdes

> No hay nada de malo en que los jóvenes _____ (querer) comprarse los últimos modelos de móvil que salen al mercado.
>
> César

> Para mí el uso abusivo de móviles _____ (crear) importantes trastornos y supone grandes gastos mensuales para miles de familias.
>
> Luis

1. Coincido con _____ en que _____
2. No coincido con _____ en que _____
3. Desde luego que _____, pero _____
4. _____
5. _____

d. Comenta con tu compañero estos titulares. ¿Coincidís en vuestras opiniones?

ESTERILIDAD DE ÚLTIMA GENERACIÓN
Un estudio revela que el uso de móviles reduce la fertilidad masculina.

¡LLAMADA DE ALERTA!
El número de móviles en España supera ya al número de habitantes.

DISFRUTA DEL ÚLTIMO GRITO EN MÓVILES POR SOLO 4000 €
Celebridades como Brad Pitt, Angelina Jolie o Victoria Adams tienen ya lo último en móviles. Poca tecnología pero nada de plástico. Se trata de joyas hechas de oro, zafiros y diamantes distribuidos al gusto del consumidor.

¡QUIERO UN MÓVIL, MAMÁ!
Desciende alarmantemente la venta de juguetes tradicionales, a causa del vertiginoso aumento en las ventas de juguetes electrónicos.

● *Yo no considero normal que un estudio diga que los móviles pueden reducir la fertilidad. Seguro que se trata de un grupo de alarmistas sociales que realmente no tienen pruebas para demostrar nada.*

■ *Pues yo no coincido contigo en eso. En muchos estudios han afirmado cosas parecidas. Por ejemplo, han dicho también que las radiaciones de los móviles pueden dañar la salud.*

5.a. A partir de la información de estas frases, señala cuál de las dos reglas propuestas debemos seguir para acentuar las palabras con una sola sílaba en español.

a) Por favor, **dé** este CD de mi parte al chico **de** los pantalones rojos que está sentado en la primera fila.

b) **El** portátil de Juan es lo más importante de este mundo para **él**.

c) Los mensajes que guardo en **mi** móvil me los han enviado a **mí** y tú no tienes por qué leerlos.

d) El otro día Pablo **se** bajó dos películas de Internet, pero no **sé** cuáles.

e) **Si** encuentras ese mismo modelo un poco más barato, **sí** me lo compraría.

f) ¿**Te** he contado ya que al final conseguí comprar por Internet el **té** ese tan rico que probé en la India?

g) Si **tú** me dejas **tu** cámara web, yo te dejo mi colección de cedés de Shakira.

h) Por supuesto que nos interesaría vender **más** videojuegos, **mas** el mercado no nos lo pone nada fácil.

❏ REGLA A

Las reglas generales de acentuación deben aplicarse también a los monosílabos o palabras de una sola sílaba en los siguientes casos: el verbo *dar* en imperativo (2ª persona, formal), los pronombres personales *él* y *tú*, el posesivo *mí*, la forma *sé* del verbo *saber*, la forma afirmativa *sí*, la infusión denominada *té* y en el término *más* (siempre y cuando este no signifique "pero").

❏ REGLA B

Los monosílabos o palabras de una sola sílaba no llevan tilde en español. Sin embargo, es obligatorio acentuar algunos de ellos para poder distinguir palabras que son idénticas en cuanto a la forma, pero que pertenecen a categorías gramaticales diferentes.

b. Decide cuáles de los monosílabos destacados deben llevar tilde. Después, coloca las frases en la casilla correspondiente.

Mamá compró ese ratón para *mi*

Dame **tu** correo electrónico.

Se han comprado una pantalla de plasma.

Ese es **mi** ratón.

Lo quería, **mas** no lo compró.

De este móvil a Jesús, por favor.

Tu ordenador tiene **mas** memoria que el mío.

¿**Te** apetece beber algo?

Móviles **de** última generación.

Se ve muy bien la imagen.

Si quieres, te grabo el disco.

¿Quieres un **te**?

Se bueno y explícame cómo funciona esto.

Me gusta **el** ordenador de Pedro.

Tu ya tienes mi correo.

Yo no **se** cómo funciona esto.

Consiguió arreglar la avería por **si** mismo.

Mira, **el** es Pedro.

No, el tuyo tiene **mas** que el mío.

Dos **mas** cinco son siete.

Si, grábamelo, por favor.

	SIN TILDE	CON TILDE
MI	Adjetivo posesivo (*mi* + nombre) _____	Pronombre personal _*Mamá compró ese ratón para mí.*_
TU	Adjetivo posesivo (*tu* + nombre) _____	Pronombre personal _____
EL	Artículo (*el* + nombre/adjetivo) _____	Pronombre personal _____
DE	Preposición _____	Verbo *dar* _____
SE	Pronombre _____	Verbos *ser* y *saber* _____
SI	Conjunción _____	Afirmación _____ Pronombre _____
TE	Pronombre _____	Planta e infusión _____
MAS	Con el significado de *pero* _____	En el resto de los casos _____

☺☺ **C. Escribe tres frases que contengan monosílabos de 5.b. Después, díctaselas a tu compañero para que decida si llevan tilde o no y por qué.**

1. _____
_____
2. _____
_____
3. _____
_____

Después de hacer esta actividad, ¿crees que podría serte útil la estrategia de ACTUAR COMO RESPONSABLE DE TU APRENDIZAJE Y CRÍTICO DE TUS PRODUCCIONES para continuar trabajando el funcionamiento de las tildes en español? ¿Cómo podrías hacerlo? Coméntalo con tus compañeros.

6.a. Los hermanos Catania están imaginando sus vidas dentro de 10 años. Anota quién ha expresado cada deseo.

1. **Vicky:** estudiante de Arte Dramático. Persona sociable y amante de la cultura.
2. **Miguel Ángel:** trabaja en una peluquería. Es un artista con la tijera, pero nunca tiene dinero.
3. **Chus:** estudiante de Trabajo Social. Es la coordinadora de la revista www.solidarios.org.
4. **Álvaro:** estudiante de medicina. Adora los niños. Es muy indeciso.

A
Anda, pues yo... Ojalá esté trabajando en una ONG y forme parte de un proyecto de desarrollo en algún país desfavorecido.

B
Ay, no sé... quizás esté casado, incluso con varios hijos. Bueno, también me gustaría estar trabajando en un gran hospital como pediatra, aunque, la verdad, no sé...

C
Pues, yo, la verdad, espero que me contraten como directora de una compañía teatral y poder dirigir musicales...

D
Sin embargo, a mí lo que me haría más ilusión es abrir una peluquería de moda y peinar a gente famosa.

A		B		C		D	

b. Estos son algunos de los consejos que se dieron los Catania. ¿A quién crees que van dirigidos?

- ¡Ahorra primero y después busca un local en una zona de moda!
- ¡Estudia algo más y ponte en contacto con compañías teatrales!
- ¡Tómate tu tiempo para decidir en qué quieres especializarte!
- ¡Colabora con alguna ONG durante tu tiempo libre!

o Vicky
o Miguel Ángel
o Álvaro
o Chus

c. ¿A qué hermano pertenece cada una de estas reflexiones?

1. Voy a buscar en Internet alguna asociación que necesite ayuda.

Chus

2. ¡Por mucho que ahorre, nunca tendré suficiente dinero para comprarlo!

3. Haré un viaje para dedicar un tiempo a pensar qué es lo que realmente quiero hacer.

4. Es difícil que te tomen en serio cuando no eres una actriz de renombre.

d. Días después, cada uno de los hermanos Catania comenta la posibilidad de realizar las sugerencias hechas por los demás. ¿Qué crees que va a decir cada uno?

Miguel Ángel: *Me recomendasteis que ahorrara para comprarme un local, y he decidido pedir un préstamo al banco para poder abrir la peluquería de mis sueños.*

Vicky: _____

Chus: _____

Álvaro: _____

7.a. Lee las anotaciones de Bárbara sobre su último viaje y señala si las afirmaciones son verdaderas o falsas.

MÉXICO LINDO Y QUERIDO... Verano de 2006

Siempre recordaré este viaje, organizado en el último momento, sin grandes expectativas ni planes y... simplemente uno de los más especiales de mi vida.

Cogimos vuelo directo Sevilla - México D.F. No se me olvidará nunca la primera noche; Ignacio y José, que querían sentirse de allí y cenar lo más típico del país, empezaron a tomar guacamole con picante y más picante, y claro, como les quemaba en la boca, pues a beber tequila y más tequila... Así que se pasaron toda la noche entrando y saliendo del baño, malísimos, y sintiéndose morir. Ahora me río, pero en aquel momento me daban una pena...

Después de visitar durante tres días D.F. nos fuimos a Chiapas en autobús. Fue un viaje larguísimo: no paró de llover y hacía mucho frío. Y todo por el maldito aire acondicionado que por más que le pedíamos al conductor que lo quitase, no nos hizo ni caso. Claro que esto fue hasta que Ignacio se puso en pie y empezó a gritar: ¡¡¡YAAAAAAAA NO PUEDO MÁS, ME ESTOOOOOY RESFRIAAAANDO!!! Se me ha quedado grabada la cara de los demás pasajeros que lo miraban perplejos, como si el pobre se hubiera vuelto loco. A mí me entró un ataque de risa, que no podía parar, lo pasé fatal.

En Chiapas, visitamos el precioso pueblo de San Cristóbal de las Casas e hicimos varias excursiones maravillosas. Allí, decidimos alquilar un coche y nos fuimos a Mérida. Nunca podré olvidar lo de la policía: cuando los vi venir detrás de nosotros con las luces y la sirena, nos pararon y nos pidieron la documentación, porque decían que habíamos superado los límites de velocidad... y yo, con una cara de susto, les decía que no, que eso no era posible. Así que cuando me puse a buscar la documentación, me di cuenta de que estaba dentro de la mochila que me había olvidado en el bar en el que habíamos parado media hora antes. Al final, resultó que la poli nos estaba gastando una broma y que el dueño del bar los había avisado de nuestro descuido y nos traían ellos mismos la mochila...

	V	F
Bárbara narra con todo detalle su viaje a México. Explica pormenorizadamente los paisajes y monumentos que ha visitado.		**X**
Las memorias que Bárbara detalla son sobre todo anécdotas y momentos divertidos de su viaje.		
La narración de las aventuras por México es ordenada y cronológica.		
El estilo de Bárbara es elaborado, oscuro y lleno de imágenes literarias.		

☺☺ **b.** Escribe en tu cuaderno algún momento inolvidable que hayas vivido en un viaje utilizando las expresiones: *nunca me olvidaré, siempre recordaré*, etc. Después léelo en voz alta y, entre todos, seleccionad el que más os haya gustado; justificad vuestra elección.

8.a. Estos son los regalos que ha recibido el Sr. Sima de Villa por su jubilación. Relaciona cada regalo con su nota y complétalas con vocabulario del recuadro. Después escribe la tercera nota en tu cuaderno.

Un abrazo de otro jubilado,	Adorados Luis y Elo,	Con mucho cariño,
Estimado don Luis Sima de Villa,	Le saludan atentamente,	Querido Luisito,

Nos gustaría que aceptase este detalle como agradecimiento a la labor que ha realizado para esta empresa a lo largo de todos estos años. Le deseamos que lo disfrute en el merecido tiempo libre del que a partir de ahora va a poder disponer.

Su paso por aquí lo recordaremos siempre como un claro ejemplo de ética y entrega profesional.

Todos sus compañeros de CYPE, S.A.

Igual que a mamá hace dos años, ahora te llega a ti, papá, la oportunidad de acabar con la rutina diaria de los últimos 45 años. Todo este tiempo hemos sido testigos de vuestro esfuerzo y queremos recompensároslo con este regalo.

Nos gustaría que disfrutarais de vuestro amor con tranquilidad durante unos inolvidables días.

Vuestros hijos Víctor y Mariana

Querido Luisito,

....

....

Tu amigo Pedrito

b. Lee dos de las cartas de agradecimiento que escribió Luis y marca si las afirmaciones son verdaderas o falsas.

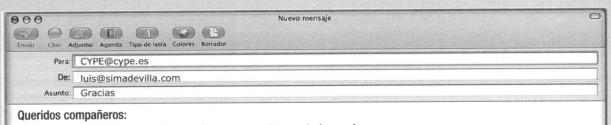

Para:	CYPE@cype.es
De:	luis@simadevilla.com
Asunto:	Gracias

Queridos compañeros:

Solo quería saludaros y agradeceros de nuevo vuestro acertado regalo.

Lo cierto es que no me esperaba que un carrito de menos de 27 kg fuera a ser tan útil. Para una persona como yo, un poco mayor y algo cansada, es todo un lujo olvidarse de tirar de los palos. El primer día que llegué al campo con mi nuevo juguete, creía que iba a sufrir un poco al intentar controlar los mandos. Estaba asustado porque no podía evitar imaginarme que tiraría más el carro de mí que yo de él. Pero no. Es increíble lo fácil que me resultó manejarlo desde el primer día. ¡Ya sabéis todos lo poco amigo que soy de las nuevas tecnologías! No me creía que fuera a ser capaz de dar órdenes a ese amasijo de hierros con un mandito más pequeño que mi mano.

Muchísimas gracias por haberme regalado algo que hace que me acuerde de vosotros con una sonrisa.

Un cordial saludo,

Luis Sima de Villa

Queridos hijos,
Os escribimos desde Los Ángeles. ¡Este viaje
está siendo el mejor de nuestra vida! No
creíamos que el barco fuera a parecerse tanto
a un hotel de cinco estrellas. ¡Es espectacular!
No nos imaginábamos que fuéramos a
despertarnos cada día en un destino distinto,
ni que tendríamos un camarote con vistas al
mar. ¡Es impresionante!
Mientras yo juego al mini-golf, mamá se mete
en la biblioteca. Como siga así se va a leer los
10.000 volúmenes que hay en el barco. A la
vuelta os invitamos a cenar un día para
contaros más cosas. Cocinaré yo para estrenar
el kit que me regaló Pedrito. ¡A ver si consigo
hacer algo decente con el wok!
Un abrazo y muchos besos,
Papá y Mamá

Mariana Sima de Villa
C/ Santa Isabel, 2, 6º A
40001 Segovia
España

	V	F
1. Luis creía que iba a ser difícil manejar el carro porque no se le dan muy bien las nuevas tecnologías.	❏ ✓	❏
2. Luis no se esperaba que un carrito tan pesado pudiera ser tan útil.	❏	❏
3. El ex director de CYPE se imaginaba que el carrito tiraría de él más que de su bolsa de golf.	❏	❏
4. El matrimonio Sima de Villa se esperaba que el barco se parecería más a un hotel de lujo.	❏	❏
5. Luis y Elo pensaban que iban a visitar cada día un destino nuevo.	❏	❏
6. Luis y Elo creían que tendrían un camarote con vistas al mar.	❏	❏

C. **Escribe en tu cuaderno la carta que Luis Sima de Villa escribe a su amigo Pedrito para agradecerle su kit de cocina y para contarle si se han cumplido o no las expectativas que tenía puestas en el regalo.**

DESARROLLO DE ESTRATEGIAS

☺☺ **9.a.** ¿Cómo podrías aplicar la estrategia de ACTUAR COMO RESPONSABLE DE TU APRENDIZAJE Y CRÍTICO DE TUS PRODUCCIONES en las próximas semanas? Anótalo en tu cuaderno, compara tus respuestas con las de tus compañeros y añade alguna que te parezca interesante.

_____
_____
_____
_____

☺☺ **b.** ¿Cuáles de las estrategias que has puesto en práctica a lo largo de este curso te han ayudado más? Coméntalo con tus compañeros.

UNIDAD 1

Actividad 2.b.
- Natalia habla de Alejandro: nuevo compañero de trabajo.
  1.ª Impresión: estúpido, esquivo, disciplinado, tímido. Realmente es buena persona, bastante sociable, muy agradable.
- Emilio habla de Nicole: su novia. 1.ª Impresión: impactante, personalidad arrolladora. Realmente es sensata, generosa, muy creativa, buena gente, muy buena persona.
- Mónica habla de Mauro: chico que conoció en el gimnasio.
  1.ª Impresión: encantador, muy simpático, agradable, optimista, atento. Realmente es nada noble, muy ambicioso, trepa.

Actividad 4.a.
1. Me han robado el coche nuevo.
2. Renato ha ganado el maratón.
3. Voy a tener un nuevo sobrino.
4. Ramón y Pilar se van a divorciar.
5. He suspendido el examen.
6. El jueves iré a tu fiesta de cumpleaños.

Actividad 7.

	JMA2	FG1	ZP3
Conservador		X	
Exagerado		X	X
Tolerante	X		
Políticamente incorrecto		X	X
Crítico		X	X
Idealista	X		
Progresista	X		
Provocador		X	X
Sarcástico			X
Materialista		X	
Extremista			X
Intransigente		X	X

Actividad 5.a.
Dos; comunicación; sistema de la lengua; cultura; intercultura; textos; escuchar; leer; interactuar oralmente; escribir; hablar; cuatro; repaso; portfolio; revista; lengua; comunicación; tablas; verbos; palabras; expresiones; cuatro.

Actividad 5.b.
1.: b; 2.: d; 3.: a; 4.: e; 5.: c.

Actividad 5.d.
a) La lengua sirve para comunicarse…
b) Hacer un *collage* sobre…
c) Se introducen el tema, los contenidos…
d) … poder hacer la primera…
e) Verdadero.
f) otros aspectos relacionados con…

Actividad 9.

a	Ya veo lo que quieres decir.
c	Sigue, sigue… No me he perdido, capto lo que me dices.
b	Te escucho.
b	¿Te dice algo?
c	¿Lo has cogido ya o sigues sin pillarlo?
a	¿Cómo lo ves?
b	Esa historia me chirría.
a	Esa historia no la veo nada clara.
c	Esa historia no me huele nada bien.
c	Es una propuesta deliciosa.
a	Es una propuesta muy atractiva.
b	Esa propuesta suena muy bien.
a	Es que no lo puedo ver.
c	Es que es un pesado.
b	Es que no estamos en la misma onda.

UNIDAD 2

Actividad 2.
1. Pedro *nació*. De niño *tuvo/era*.
2. Durante su infancia y adolescencia Pedro *recibió*; Al cumplir los dieciocho *tenía/se instaló/fue/acababa*.
3. Fue poco después cuando *consiguió/trabajó/pudo/disfrutó/soñaba*.
4. En 1988 *se convirtió*.
5. A partir de entonces podemos hablar de un éxito tras otro. En el año 2000 *conquistó/entregaron/gritó/agradeció/habló/tuvo*.
6. Tan solo dos años más tarde *recibió/seleccionó*; En el año 2006 *regresó*.

Actividad 3.a.
Grabaron, se convirtió, fue, cumplió, obtuvo, rediseñó.

Actividad 4.a.
A: Jugaron; jugaras/jugases. B: Consiguieron; consiguieran/consiguiesen. C: Durmieron; durmierais/durmieseis.
D: Dijeron; dijera/dijese. E: Leyeron; leyéramos/leyésemos.
F: Pudieron; pudiera/pudiese. G: Vieron; vieras/vieses.
H: Pidieron; pidieran/pidiesen. I: Nacieron; nacieran/naciesen.
J: Produjeron; produjéramos/produjésemos.

Actividad 4.b.

SABER	VENIR	HACER	DAR	PONER	IR	SER	QUERER
supiera	viniera	hiciera	diera	pusiera	fuera		quisiera
supieras	vinieras	hicieras	dieras	pusieras	fueras		quisieras
supiera	viniera	hiciera	diera	pusiera	fuera		quisiera
supiéramos	viniéramos	hiciéramos	diéramos	pusiéramos	fuéramos		quisiéramos
supierais	vinierais	hicierais	dierais	pusierais	fuerais		quisierais
supieran	vinieran	hicieran	dieran	pusieran	fueran		quisieran

Actividad 6.a.

Ayer a las 11:30 Lola no estaba haciendo aeróbic en el gimnasio. Estaba comprando en el súper, haciendo una transferencia en el banco o enviando unas cartas en correos.
Ayer a las 21:45 no estaba viendo una película en el cine Alfa. Según su agenda, estaba en casa viendo un programa sobre Egipto en la televisión.
Hace tres horas no estaba recuperando una clase con el grupo A2, porque esa clase ya había terminado. No sabemos lo que estaba haciendo, porque no tiene nada anotado en la agenda.

Actividad 7.a.

- Pablo está desesperado porque su mujer ha cambiado mucho últimamente...
- Carolina vuelve tarde a casa, en su agenda ha dibujado un corazón junto al teléfono...

Actividad 7.c.

1. Carolina ha llegado a casa más tarde de lo habitual porque durante tres días, después de salir del trabajo, ha estado yendo a hacerse un tatuaje.
2. La colonia diferente es el olor a incienso de la tienda de tatuajes.
3. Hugo es el "tatuador" y el corazón es la forma del tatuaje.

Actividad 9.a.

Frase 1: 1º pena, 2º alegría, 3º enfado
Frase 2: 1º enfado, 2º alegría, 3º pena
Frase 3: 1º alegría, 2º enfado, 3º pena

Actividad 10.a.

1. atravesar, enseñara, 2. volar, saliera.

Actividad 11.a.

a. asesino; b. formar un grupo; c. pistola; d. empujar; e. culpable; f. cadáver; g. cuchillo; h. policía; i. esconderse; j. lanzaron; k. reglas.

Actividad 11.b.

SOSPECHOSOS

UNIDAD (3)

Actividad 2.a.

Sergio: 1: a; 2: b; 3: b; 4: a; 5: a; 6: c.
Oscar: 1: b; 2: c; 3: b; 4: c; 5: a; 6: b.

Actividad 3.b.

En la que, **5**; en las que, **2**; que, **3**; bajo la que, **8**; desde el que, **6**; en la que, **1**; desde la que, **10**; a la que; **7**; por el que, **9**.

Actividad 4.a.

1: F; 2: F; 3: F; 4: V; 5: F; 6: V.

Actividad 3.a.

Actividad 5.a.

Guatemala: maravilloso/difícil/preciosas/frondosos / desérticas / concurrido / pintoresco / solitarias.
Canarias: espectaculares / inmensos / elegante / turísticas / acogedoras / animadas / típicas.

Actividad 5.b.

a: V; b: F; c: V; d: F; e: V.

Actividad 6.a.

A) verde; B) azul; C) rojo; D) naranja y rojo; E) azul; F) gris.

Actividad 7.a.

A: 7; B: 6; C: 4; D: 2; E: 1; F: 3; G: 5.

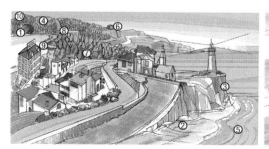

UNIDAD

Actividad 2.a.

No hacer muchas preguntas; desconectar el móvil; ponerse una colonia agradable; no ir en vaqueros; despedirse con un apretón de manos; ser educado; llegar con antelación; mostrar simpatía en todo momento; hablar con naturalidad; mantener el contacto visual con el entrevistador.

Viñeta 1: Yo no iría en vaqueros. Viñeta 2: Yo que tú llegaría con antelación. Viñeta 3: Yo en tu lugar me despediría con un apretón de manos. Viñeta 4: Yo que tú me pondría una colonia agradable.

Actividad 3.a.

Ref. 948: Experiencia / jornada / objetivos / promoción.
Ref. 451: Contrato / fijo / Formación / ambiente.
Ref. 527: Jornada / Horas / Contrato / Media.
Ref. 943: inmediata / Experiencia / completa / Sueldo.

Actividad 5.b.

1ª	L	X	C
2ª	C	L	X
3ª	C	L	X
4ª	X	L	C
5ª	L	C	X

Actividad 7.a.

1. Ana Larrea. 2. Sr. Alonso. 3. Bilbao. 4. Le incluyo esta carta junto con mi currículum vítae *con respecto al* anuncio. 5. Considero que mis dos años de experiencia... *En cuanto al* dominio... 6. *Por ello*, me pongo a su disposición...

Actividad 3.b.

	Formación a cargo de la empresa	Tipo de contrato	Salario	Posibilidad de promoción	Jornada y horario	Otros
Mateo	sí, en Frankfurt	fijo	fijo más comisiones	sí	completa (ocho horas: de 9 a 6 con una hora para comer)	una semana más de vacaciones
Sofía	sí	temporal (tres meses)	fijo más propinas	no	media (cuatro horas: de 7 a 11 de la mañana)	buen ambiente de trabajo

Actividad 3.c.

Mateo: Ref. 943
Sofía: Ref. 451

Actividad 4.a.

1) Mi compañero es un irresponsable, por eso el jefe nunca cuenta con él. 2) Vivimos en un mundo laboral muy injusto, ya que los hombres ganan más que las mujeres. 3) Nuestro jefe tiene muy buen humor, así que tenemos un buen ambiente en la oficina. 4) Últimamente trabajo demasiado y no puedo disfrutar de mi familia y amigos.
5) Mi nivel de inglés no es muy bueno, por lo que es complicado encontrar trabajo en una multinacional. 6) Tengo un sueldo bastante bajo, con lo cual no puedo independizarme. 7) Como en la oficina hace un calor horrible, la empresa gasta mucho dinero en aire acondicionado. 8) Han prohibido fumar en mi empresa, así que los no fumadores han dejado de quejarse.

Actividad 4.b.

1) Si mi compañero fuera responsable, el jefe contaría con él. 2) Si viviéramos en un mundo laboral justo, hombres y mujeres ganarían lo mismo. 3) Si nuestro jefe no tuviera tan buen humor, no tendríamos buen ambiente en la oficina. 4) Si no trabajara tanto, podría disfrutar más de mi familia y de mis amigos. 5) Si mi nivel de inglés fuera mejor, sería más fácil encontrar trabajo en una multinacional. 6) Si tuviera un sueldo más alto, podría independizarme. 7) Si en la oficina no hiciera un calor horrible, la empresa gastaría menos dinero en aire acondicionado. 8) Si permitieran fumar en mi empresa, los no fumadores se quejarían.

Actividad 8.a.

a. formales; b. informales.

Actividad 8.b.

Querido Matt:
Expresiones coloquiales (*chavales, hartos de, garitos, súper, marcha*); exclamaciones (*es que las copas*), superlativos (*carísimas*).
Estimado Sr. Director:
Frases largas (*unos 180.000 jóvenes se reúnen los fines de semana en diferentes lugares públicos de la geografía española con el fin de llevar a cabo lo que se ha denominado el fenómeno del botellón*); léxico variado (*sentirse abrumado, reunirse, denominarse, fenómeno*); expresiones cultas (*llevar a cabo*), alusiones a fuentes (*según las estadísticas*).

Actividad 9.a.

1. correcta; 2. incorrecta: Me gustaría que me permitieran...; 3. incorrecta: Me gustaría que mis padres me dejaran...; 4. correcta; 5. incorrecta: Me encantaría abrir...

Actividad 9.b.

Infinitivo / subjuntivo.

Actividad 9.c.

1, 2, 3: Me habría gustado, encantado, apetecido...

Actividad 9.d.

F / V / F / V

UNIDAD 5

Actividad 2.a.
calefacción, portero, obras, herramientas, recibos de la comunidad, ascensor, patio, buzón, portal.

Actividad 2.b.
1: a; 2: b; 3: b.

Actividad 3.a.
1: b; 2: a; 3: a; 4: b; 5: a; 6: b; 7: b.

Actividad 3.b.
a. siempre que; b. a menos que; c. excepto que; d. salvo que; e. siempre y cuando; f. a no ser que; g. a salvo que.

Actividad 4.b.
1. Sandra a Fernando; 2. Daniel a Sandra; 3. Silvia a Daniel; 4. Fernando a Sandra.

Actividad 5.a.
Los señores Desatascador, 13:57; el señor Friolero, 12:52; el señor Cotilla, 12:50; los señores Ladrido, 12:35; la señora Ironía, 14:27.

Actividad 5.b.
Sobre las doce y media, de la habitación 206, los señores Ladrido han explicado que habían elegido este hotel porque ... Les he explicado que antes…
Un cuarto de hora más tarde, de la habitación 122, el señor Cotilla ha solicitado que le digamos cuántas personas hay alojadas en el hotel y el nombre de un actor que se ha cruzado en el pasillo. Le he respondido que no podía satisfacer…
Inmediatamente después, de la habitación 111, el señor Friolero ha pedido que alguien arregle su calefacción. Le he comentado que es central y que no funciona…
A eso de las dos, de la habitación 33, los señores Desatascador han explicado que el váter está averiado. He solicitado al personal de mantenimiento…
Una media hora después, de la habitación 205, la señora Ironía me ha preguntado si las telarañas de las paredes estaban incluidas en el precio… Le he pedido disculpas y…

Actividad 6.a.
Viñeta 1: di / he recibido / haya. Viñeta 2: tenga / titular. Viñeta 3: contratación / reclamar / baja. Viñeta 4: he domiciliado / me devuelvan / reclamación / den / funcionan.

Actividad 6.b.
Afirmaciones: 1: F; 2: F; 3: V; 4: V; 5: V; 6: F.

Actividad 6.c.
Reclamación presentada por: Francisco Ochoa Redondo / Contra: Luziudad. Empresa situada en C/ Larios 4-4º B, 45570 Cáceres / Problemas planteados: Hace dos meses que contraté con su empresa el servicio de luz para mi nueva casa.../ Circunstancias de los hechos: Necesito con urgencia que den de alta el servicio que solicité para poder mudarme a mi nueva casa... / Reclamación del consumidor: Exijo que me devuelvan los 100 euros de fianza que pagué al contratar el servicio y...

Actividad 7.a.
1. Security life.
2. Koro Cruz.
3. Informarse para poner una reclamación.
4. A la seguridad y a la instalación de alarmas en viviendas.
5. Ponerle en contacto con un compañero suyo del servicio técnico.
6. Poner una reclamación y darse de baja en Security life.
7. Ha fallado la alarma y han entrado a robar en casa del cliente.
8. CHALETSEIN47.
9. La Srta. Cruz le pasa la llamada a un compañero del servicio técnico, la Sra. Sein continúa muy enfadada.

Actividad 7.b. y 7.c.
[Sugerir que algo ocurre de manera accidental y sin nuestra intervención]
Quedarse: La urbanización se quedó a oscuras. Apagarse: La luz se apagó. Pararse: Se paró la lavadora. Irse: Se fue la imagen de la televisión. Tropezarse: Se tropezó con una piedra. Estropearse: Se habían estropeado varios electrodomésticos.
[Expresar que estamos implicados en un suceso accidental]
Caerse: Se me cayeron los platos. Mojarse: Se le mojaron los papeles. Romperse: Se le rompió la pluma.
Escaparse: Se nos escapó el gato. Mancharse: Se me mancharon los pantalones de pintura. Salirse: Se le salió la zapatilla.

Actividad 8.a.
1. J [X]; 2. BL; 3. R

UNIDAD 6

Actividad 3.a.
Estás / tienes / es / está / llegan / Sabes / lleguen / llama / vienen / hay / conoce / sea / esté.

Actividad 4.a.
A. Todos. B. En realidad solo eran tres personas: el hijo, el padre de este y el abuelo. C. El veneno estaba en los cubitos de hielo, cuando el hombre bebió, el hielo aún estaba congelado. D. Era de día. E. Porque no llovía. F. El café era en grano.

Actividad 5.a.

una orden de detención
un intento de asesinato
el abogado defiende al sospechoso ante el tribunal
celebrarse un juicio
apresar a un ladrón
cumplir una condena/una pena de tres años por robo
cometer un crimen/un delito
atracar un banco
el secuestrador pide un rescate para liberar a las víctimas
tener una coartada
darse a la fuga

Actividad 5.b.

Desayuno sin diamantes: suceso nº 3
En abril, dulce dormir: suceso nº 1
Darse a la fuga puede aumentar la pena: suceso nº 2

Actividad 6.a.

es-trés	○●	la-drón	○●
cár-cel	●○	pis-to-las	○●○
es-cán-da-lo	○●○○	be-bé	○●
víc-ti-ma	●○○	a-tra-car	○○●
re-lám-pa-go	○●○○	or-den	●○

ar-tí-cu-lo ○●○○
con-de-na ○●○
ca-dá-ver ○●○
mé-di-co ●○○
hos-pi-tal ○○●

Actividad 6.d.

Palabras agudas: res-ca-tar, qui-zá, in-te-rés, co-ra-zón, mor-tal
Palabras llanas: de-li-tos, re-vól-ver, in-tri-ga, pre-so, cri-men
Palabras esdrújulas: clí-ni-ca, bús-que-da, é-xi-to, fa-ná-ti-co, cén-tri-co

Actividad 7 a.

1. Felicidad; 2. Angustias; 3. Felicidad; 4. Felicidad; 5. Angustias.

Actividad 8.a.

INTRODUCCIÓN: ANUNCIO DEL TEMA: vamos a tratar...; PRIMER ARGUMENTO: Para empezar, la culpa es de los gnomos...; SEGUNDO ARGUMENTO: En segundo lugar, ya hemos perdido...; ÚLTIMO ARGUMENTO: En lo que se refiere a signos, hay...; TRANSICIÓN Y RESUMEN: En definitiva, sigamos siendo dueños de...; CONCLUSIÓN: Para concluir, la supervivencia de esta letra...

Actividad 8.c.

INTRODUCCIÓN: ANUNCIO DEL TEMA: A continuación, Voy a hablarles
PRIMER ARGUMENTO: Para empezar, En primer lugar, Por una parte
SEGUNDO ARGUMENTO: En segundo lugar, Seguidamente
ÚLTIMO ARGUMENTO: En lo que se refiere a, Por otra parte
TRANSICIÓN Y RESUMEN: En definitiva, En resumen, Cabe añadir, Así pues, para resumir
CONCLUSIÓN: Para concluir, Para terminar, Todo esto nos lleva a concluir.

UNIDAD ⑦

Actividad 2.a.

Museo arqueológico: Conserva una amplia colección…
Museo taurino: El visitante puede recorrer allí…
Museo tiflológico: Es el primer museo español concebido para… **Museo de América**: Reúne amplias colecciones…
Museo del juguete: Predominan los fabricados en España… **Museo de cera**: Un museo abierto en 1972…
Casa de la moneda: La riqueza de sus colecciones…

Actividad 3.a.

piedra / circular / alargadas / cristal / piedra / cristal / madera / mármol / madera /bronce / azulejos.

Actividad 6.

1. Creativa, novedosa y genial.
2. No, sin embargo sí se sirvió de este movimiento artístico para añadir elementos nuevos a su obra.
3. Los acontecimientos sociales de la época… repercutieron en el estilo, la temática y las tonalidades de la obra de Picasso.

Actividad 7.b.

	Impresión de Paloma	Impresión de Ronaldo
Cuadro 1	¡Qué bonito! El dolor transmite belleza. Tiene mucha fuerza. Cree que el artista quería transmitir optimismo.	No está mal. Lo encuentra un poco triste. Tiene mucho color. El color es pesado y denso. Le transmite tristeza y amargura.
Cuadro 2	¡Impresionante! Lo encuentra precioso. Cree que el artista ha conseguido reducir los objetos a sus volúmenes primarios. Los detalles desaparecen y las formas simples son las que transmiten la esencia de los objetos. Representa la esencia de la realidad, por eso el pintor introduce elementos de la realidad objetiva.	No le gusta. Le parece muy simple. Lo ve muy abstracto.
Cuadro 3	No está mal. Un poco frío. Muy gris.	Increíble, alucinante, arte activo, de denuncia social. El artista quiere transmitir la intranquilidad, el miedo y la angustia de la gente. Con el color gris, el pintor quiere mostrarnos un paisaje desolado, sin gente… Quiere reflejar la realidad tal y como es. No busca la belleza sino la crítica.

Actividad 7.c.

La reacción 2 se refiere al cuadro *Botella de Pernod y vaso*.

Actividad 8.a.

1: F; 2: V; 3: F; 4: F; 5: F.

Actividad 9.a. y b.

Audición 1: correo basura / foto 4. Audición 2: telebasura / foto 2. Audición 3: falsificaciones / foto 3. Audición 4: comida basura / foto 1.

Actividad 9.c.

Audición 1: eficiente / accesible / solidario. Audición 2: divertido / comunicativo / frívolo. Audición 3: creativo / joven / revolucionario. Audición 4: moderno / homogéneo / saludable.

Actividad 10.c.

a. las pulseras, b. el teléfono móvil, c. la corbata, d. el triciclo, e. los CDs de música, f. los pantalones, g. la agenda, h. las gafas.

Actividad 10.d.

b. regálaselo, c. no se la regales, d. no se la compres, e. cómpraselo, f. regálaselas.

UNIDAD

Actividad 2.a.

a. discapacitadas; b. alfabetización.

Actividad 2.b.

1. víctima de la violencia doméstica; 2. inmigrante; 3. tercera edad; 4. drogodependiente; 5. analfabeto; 6.discapacitado.

Actividad 3.a.

1. Yo creo que un país como España… 2. En mi opinión, la legalización de la prostitución… 3. Espero que un día se deje de penalizar…

Actividad 4.a.

Jano: Desde mi punto de vista / Ahora bien / En realidad. Quique: Yo creo que / Es verdad que... pero / Lo que quiero decir es que. Chus: Estoy de acuerdo con/pero también / Puede que. Berta: Yo también creo que / Quizás... pero también / En realidad.

Actividad 5.a.

<u>Socorro Gutiérrez</u>: Bueno, bueno..., Disculpa que te interrumpa...; <u>Ana Vaso</u>: Eso, eso es verdad..., Perdone que tome el turno de palabra..., ¿De verdad crees que...?, Solo un comentario más...; <u>Tomás López</u>: Muchas gracias por..., creo que es...; <u>Moderador</u>: Perdonad que os interrumpa...

Actividad 6.a.

1. F / 2. F / 3. V / 4. V

Actividad 8.a.

se distribuya; rellene; apadrine; destine; sea; llegue; exija; desee.

Actividad 9.a.

Foto 1: se ha hecho. Foto 2: se hizo. Foto 3: se ha vuelto.

Actividad 9.b.

a: Foto 3; b: Foto 1; c: Foto 2; d: Foto 2.

Actividad 10.a.

Íbamos a ir; te llevarías; ibas a dejar; sacarías; ibas a dejar; quitarías; vamos a ir; dejarás; ibas a ir; harías.

Actividad 11.a.

1. ... son muy <u>interesantes</u>, pero muy <u>caros</u>. ⇨ la madre de Florian.
2. ... y hablas con <u>nativos</u>, mejoras mucho más rápido y con menos <u>esfuerzo</u>. ⇨ la profesora de español de Florian.
3. La <u>comida</u> está <u>malísima</u>. ⇨ un amigo de Florian de su clase de español.

Actividad 11.b.

Comentario sobre dónde aprender español más fácilmente ⇨ Florian cree que es cierto
Comentario sobre la comida ⇨ Florian cree que es falso ⇨ Florian opina que la comida española está buenísima.
Comentario sobre los museos ⇨ Florian opina que es falso ⇨ Florian opina que los museos no son tan caros como dice su madre. Son mucho más baratos que en su país.

UNIDAD

Actividad 2.a.

1: paciente; 2: enfermedad; 3: sangre; 4: herida; 5: médico.

Actividad 2.b.

Paciente: tener síntomas, padecer trastornos. Enfermedad: provocar naúseas, crear malestar. Herida: coser, cicatrizar. Sangre: hemorragia, coagular. Médico: hacer diagnósticos, recetar. Recetar: pastillas, pomada, jarabe.

Actividad 3.a.

Definición 1: sordera / hipoacusia.
Definición 2: tensión ocular / glaucoma.
Definición 3: derrame cerebral / ictus.
Definición 4: almorranas / hemorroides.
Definición 5: diarrea / gastroenteritis.
Definición 6: piedras en el riñón / nefrolitiasis.

Actividad 3.b.

	Síntomas	Diagnóstico	Solución
Audición 1	dolor en el costado, dolor en el muslo, muchísimas ganas de orinar, náuseas, fiebre, sangre en la orina	litiasis renal / piedras en el riñón o cálculo renal	operación
Audición 2	visión de moscas volantes o centelleantes, náuseas, vómitos, visión borrosa, dolor ojo izquierdo, dolores de cabeza	tensión ocular / glaucoma	gotas
Audición 3	no entender las cosas, confundir lo que le dicen, molestar los ruidos	sordera	aparato / audífono

Actividad 4.a.

Un **DIPTONGO** es la combinación de <u>dos</u> vocales en una sílaba. Esta combinación puede ser de dos tipos:
a) Vocal abierta (**A**, **E**, **O**) + vocal cerrada (**I**, **U**) o, en orden inverso, vocal cerrada (**I**, **U**) + vocal abierta (**A**, **E**, **O**), siempre y cuando la vocal cerrada <u>no reciba</u> la fuerza de acentuación de la palabra.
b) Dos vocales cerradas <u>diferentes</u>: (<u>IU o UI</u>).

Actividad 4.b.

Un **HIATO** se da cuando hay dos vocales juntas que pertenecen a <u>dos sílabas diferentes</u>. Esta combinación puede ser de tres tipos:
a) Vocal abierta (**A**, **E**, **O**) + vocal cerrada (**I**, **U**) o, en orden inverso, vocal cerrada (**I**, **U**) + vocal abierta (**A**, **E**, **O**), siempre y cuando la vocal cerrada <u>reciba</u> la fuerza de acentuación de la palabra.
b) Vocal abierta (**A**, **E**, **O**) + vocal abierta (**A**, **E**, **O**).
c) Dos vocales cerradas <u>iguales</u>: (<u>II o UU</u>)

Actividad 4.c.

Palabras agudas	Palabras llanas	Palabras esdrújulas
④ ③ ② ❶	④ ③ ❷ ①	④ ❸ ② ①
con-train-di-ca-ción co-or-di-nar vein-ti**ú**n	a-de-cua-do i-no-cuo cre-**e**n-cia en-ve-je-ci-mi**e**n-to te-**ra**-pia gas-tro-en-te-ri-tis card**ia**co	pán-cre-as far-ma-céu-ti-co ho-me-o-pá-ti-co

Palabras con hiato [I, U + A, E, O] o [A, E, O + **I, U**] llevan tilde SIEMPRE
_ci-ru-gí-a_   _frí-o_   _re-ú-ma*_

*También aceptado el tratamiento como diptongo: reu-ma (palabra llana).

Actividad 6.
1.- jarabe / vía oral.
2.- gotas / vía tópica.
3.- pomada / vía tópica.
4.- cápsula / vía oral.
5.- inyección / vía intravenosa o intramuscular.
6.- sobre / vía oral.
7.- supositorio / vía rectal.
8.- comprimido o pastilla/ vía oral.

Actividad 7.a.

1. ¿Adelgazaremos si nos saltamos alguna comida? Eso sólo sirve para llegar con más hambre a la comida siguiente y desequilibrar la dieta. De hecho, se ha demostrado que las personas que tienden a saltarse las comidas, sobre…
2. Cuando sufrimos de lumbalgia, ¿debemos descansar? Según los científicos que comprobaron la eficacia del reposo y la compararon con la de la actividad, permanecer quietos…
3. ¿Si tomamos más fósforo tendremos mejor memoria? No existe evidencia científica de que con más fósforo, ni con otro alimento o sustancia vegetal, mejore la memoria. El doctor José Miguel Láinez atribuye esta creencia a que…
4. ¿Nos saldrán granos si comemos chocolate? No se ha demostrado que exista ninguna relación entre los alimentos y el acné, salvo en casos de alergia, aunque muchas personas están…
5. ¿Están más sanos los bebés gordos? El origen de esta creencia hay que situarlo en períodos de carestía económica, cuando la mortalidad infantil debida a enfermedades era alta…

Actividad 8.a.
Colóquelo / apoyar / mantenga / comprobar / creara / le hablara / le pusiera / le acune / le mezca / le pasee / colocarlo / darle / dele.

Actividad 10.a.
Opción C.

UNIDAD (10)

Actividad 2.a.

1. distrito, 2. barrio, 3. zonas verdes, 4. ensanche, 5. vertidos, 6. carril bici, 7. polideportivo, 8. casco histórico, 9. zona peatonal, 10. parquímetro.

Actividad 2.b

<u>Barrios</u> / zona peatonal / zonas verdes / polideportivos / carril bici.

Actividad 4.b.

1: F; 2: F; 3: V; 4: F; 5.V.

Actividad 5.a.

1. Dar los datos del autor de la carta. 2. Dar los datos del receptor de la carta. 3 Justificar los motivos de la queja. 4. Explicar el problema detalladamente. 5. Pedir una compensación. 6. Despedirse.

Actividad 6.a.

La coma, los dos puntos, el punto y coma, el punto y los puntos suspensivos indican las pausas más o menos cortas... / Los signos de interrogación avisan de que la frase es una pregunta. / Los signos de admiración denotan que la frase es una exclamación... / La diéresis indica que la "u" tiene sonido. / Las comillas señalan las citas o dan significado... / El guión informa de que se trata de un diálogo.

Actividad 6.b.

a. Los puntos suspensivos; b. Los dos puntos; c. El punto; d. La coma; e. El punto y coma.

Actividad 6.c.

1. Hoy me ha llamado María, la hermana de Juan, para ofrecerme un trabajo en su empresa.
2. ¡Qué contento estoy! He comprado todo lo que necesitaba para la fiesta: la comida, la bebida y el traje rojo que había visto el otro día en Cara.
3. Los Rodríguez fueron el año pasado de vacaciones a Ciudad del Cabo. Dicen que allí vieron las playas más impresionantes de su vida.
4. ¿Sabes qué dijo Kennedy delante de miles de berlineses en 1963? Es una de las frases más recordadas: "Yo también soy un berlinés".
5. Han venido todos a verlo: Juan, María, Teresa... En fin, la pandilla al completo.
6. Este ejercicio ya lo has terminado; el siguiente, todavía no.

Actividad 7.a.

1. La ampliación del pantano se realizará en los meses de verano, siempre y cuando haya pocas precipitaciones.
2. Los paneles solares se colocarán en todas las viviendas siempre que estas no tengan más de dos alturas.
3. La primera obra terminada será el polideportivo, a no ser que la constructora incumpla los plazos prometidos.
4. El mercado de los martes se reubicará en la plaza del pueblo, si los comerciantes se ponen de acuerdo.
5. Los cortes de agua van a producirse siempre después de las tres de la tarde, salvo que haya imprevistos o fuerzas mayores.

Actividad 7.b.

- siempre y cuando hubiera pocas precipitaciones.
- siempre que estas no tuvieran más de dos alturas.
- a no ser que la constructora incumpliera los plazos prometidos.
- si los comerciantes se ponían de acuerdo.
- salvo que hubiera imprevistos o fuerzas mayores.

Actividad 7.c.

Mariana Escribá ⇨ Queja: Deberían haber terminado la escuela, para que pudiera empezar el curso. Petición: Alguien que pueda ceder un lugar para impartir las clases.
Marcelo Rastrillo ⇨ Queja: Se debería haber hecho ya la ampliación del pantano. Petición: Una respuesta por parte del Ayuntamiento.
Marcos Potro ⇨ Queja: No va a poder entrenar porque no han terminado el polideportivo. Petición: Alguien que les entrene o que terminen las obras del polideportivo.
María Peine ⇨ Queja: Lleva cuatro meses sin clientela porque la gente está desmoralizada y va a tener que cerrar la peluquería. Petición: Que se unan los comerciantes para encontrar una solución.

Actividad 8.b.

c, a, d, f, b, e.

UNIDAD (11)

Actividad 2.a.

Estrecho / de mangas / cadera / amargada.

Actividad 2.b.

Jaime: perilla, pantalones de campana, pendiente, camiseta superpuesta. Irene: trenza, pantalones anchos, pulsera y camiseta ajustada. Jon: pelo de punta, pantalones ajustados, anillo, chaqueta extravagante.

Actividad 3.a.

1.- Christian Dior / triunfara. 2.- Christian Dior / abriera.
3.- Mary Quant / fundar 4.- Inaugurara / Chanel.

SOLUCIONES

Actividad 6.a.

	PONER	VER	ESCRIBIR	ABRIR
	PRETÉRITO PLUSCUAMPERFECTO DE SUBJUNTIVO			
yo	hubiera/ hubiese puesto	hubiera/ hubiese visto	hubiera/ hubiese escrito	hubiera/ hubiese abierto
tú	hubieras/ hubieses puesto	hubieras/ hubieses visto	hubieras/ hubieses escrito	hubieras/ hubieses abierto
él/ella/usted	hubiera/ hubiese puesto	hubiera/ hubiese visto	hubiera/ hubiese escrito	hubiera/ hubiese abierto
nosotros/as	hubiéramos/ hubiésemos puesto	hubiéramos/ hubiésemos visto	hubiéramos/ hubiésemos escrito	hubiéramos/ hubiésemos abierto
vosotros/as	hubierais/ hubieseis puesto	hubierais/ hubieseis visto	hubierais/ hubieseis escrito	hubierais/ hubieseis abierto
ellos/as/ustedes	hubieran/ hubiesen puesto	hubieran/ hubiesen visto	hubieran/ hubiesen escrito	hubieran/ hubiesen abierto

	VOLVER	HACER	ROMPER	DECIR
	CONDICIONAL COMPUESTO			
yo	habría vuelto	habría hecho	habría roto	habría dicho
tú	habrías vuelto	habrías hecho	habrías roto	habrías dicho
él/ella/usted	habría vuelto	habría hecho	habría roto	habría dicho
nosotros/as	habríamos vuelto	habríamos hecho	habríamos roto	habríamos dicho
vosotros/as	habríais vuelto	habríais hecho	habríais roto	habríais dicho
ellos/as/ustedes	habrían vuelto	habrían hecho	habrían roto	habrían dicho

Actividad 6.b.

puesto (2)
cabría (7)
saldría (9)
hubiera dicho (5)
abriríamos (11)
habríamos comido (30)
sabríamos (17)
verías (15))
dirían (18)
habrías decidido (23)
querríamos (20)
se hubiera venido (27)
hubiéramos visto (29)
hubiéramos convertido (14)
hubieran devuelto (25)
vendrías (31)

Actividad 7.a.
DEFINICIÓN A

Actividad 7.b

④	③	②	①
in	ter	cam	bi**É**is
	hu	**I**	ais
	es	tu	di**A**is
ha	bla	r**I**	ais
		es	pi**É**is

④	③	②	①
pa	ra	gu**A**	yo
		ca	**E**is
	ro	de	**E**is
		qui**O**s	co
	e	va	lu**E**is

Actividad 7.c.

Palabras agudas	Palabras llanas
in-ter-cam-biéis es-tu-diáis es-piéis ca-éis ro-de-éis e-va-luéis	hu-í-ais ha-bla-rí-ais pa-ra-gua-yo quios-co

Actividad 8.a.

Mario Benedetti: "Siempre supe que quería ser escritor. Lo único que me hubiera gustado ser es campeón de ping-pong."
Alfredo Bryce Echenique: "Me hubiera gustado ser torero… o a lo mejor toro."
Jaime Bayly: "De no haber sido escritor, me habría encantado ser escritora."

UNIDAD (12)

Actividad 2.a.

Mi nuevo ordenador tiene: cámara web, pantalla de plasma, conexión inalámbrica, reproductor de DVD, antivirus.

No necesito conexión a Internet para: usar la base de datos, utilizar el procesador de textos, utilizar juegos electrónicos, escuchar música, ver películas.

Necesito conexión a Internet para: chatear, crear un blog, hacer una llamada, participar en un foro, descargar música, adjuntar un archivo a un correo, enviar correos electrónicos, hacer un curso a distancia, usar listas de distribución, colgar algo en la red.

Actividad 2.b.

1: cámara web; 2: reproductor de DVD; 3: pantalla de plasma; 4: conexión inalámbrica; 5: antivirus.

Actividad 3.a.

1: sí; 2: sí; 3: sí; 4: no; 5: sí; 6: sí; 7: no: 8: sí.

Actividad 3.b.

Hay que + infinitivo / Tener que + infinitivo / Imperativo / Es preferible + infinitivo / Deber + infinitivo / Se debe + infinitivo.

Actividad 4.a.

Para mí, el uso que hagan los padres del móvil no va a evitar las adicciones de sus hijos. Arturo Olave.

Considero que un uso racional del móvil por parte de los padres puede evitar la adicción al móvil de los hijos. Maruro Ayala.

No veo que haya nada de malo en que el 95% de los jóvenes tengan móvil. Mauro Ayala.

Actividad 4.c.

Veo normal que sea… Considero una tontería que algunos piensen… A mi parecer es una locura… No hay nada de malo en que los jóvenes quieran… Para mí el uso abusivo de móviles crea…

Actividad 5.a.

REGLA B.

Actividad 5.b.

Mamá compró ese ratón para mí
Dame tu correo electrónico.
Se han comprado una pantalla de plasma.
Ese es mi ratón.
Lo quería, mas no lo compró.
Dé este móvil a Jesús, por favor.
Tu ordenador tiene más memoria que el mío.
¿Te apetece beber algo?
Móviles de última generación.
Se ve muy bien la imagen.
Sí, grábamelo, por favor.
¿Quieres un té?
Sé bueno y explícame cómo funciona esto.
Me gusta el ordenador de Pedro.
Tú ya tienes mi correo.
Yo no sé cómo funciona esto.
Consiguió arreglar la avería por sí mismo.
Mira, él es Pedro.
No, el tuyo tiene más que el mío.

Dos más cinco son siete.
Si quieres, te grabo el disco.

		SIN TILDE	CON TILDE
MI		Adjetivo posesivo (*mi* + nombre) *Ese es mi ratón.*	Pronombre personal *Mamá compró ese ratón para mí.*
TU		Adjetivo posesivo (*tu* + nombre) *Dame tu correo electrónico.*	Pronombre personal *Tú ya tienes mi correo.*
EL		Artículo (*el* + nombre/adjetivo) *Me gusta el ordenador de Pedro.*	Pronombre personal *Mira, él es Pedro.*
DE		Preposición *Móviles de última generación.*	Verbo *dar* *Dé este móvil a Jesús, por favor.*
SE		Pronombre *Se han comprado una pantalla de plasma.*	Verbos *ser* y *saber* *Sé bueno y explícame cómo funciona esto. Yo no sé cómo funciona esto.*
SI		Conjunción *Si quieres, te grabo el disco.*	Afirmación *Sí, grábamelo, por favor.* Pronombre *Consiguió arreglar la avería por sí mismo.*
TE		Pronombre *¿Te apetece beber algo?*	Planta e infusión *¿Quieres un té?*
MAS		Con el significado de *pero* *Lo quería, mas no lo compró.*	En el resto de los casos *Tu ordenador tiene más memoria que el mío. No, el tuyo tiene más que el mío. Dos más cinco son siete.*

Actividad 6.a.

A: 3, B: 4, C: 1, D: 2.

Actividad 6.b.

Miguel Ángel. Vicky. Álvaro. Chus.

Actividad 6.c.

1: Chus. 2: Miguel Ángel. 3: Álvaro. 4: Vicky.

Actividad 7.a.

F / V / V / F

Actividad 8.a.

1.
Estimado don Luis Sima de Villa,
Nos gustaría (…)
Le saludan atentamente todos sus compañeros de CYPE, S.A.
REGALO: Carro de golf eléctrico.
2.
Adorados Luis y Elo,
Igual que a mamá (…)
Con mucho cariño,
Vuestros hijos Víctor y Mariana
REGALO: Crucero.
3.
Querido Luisito,
Un abrazo de otro jubilado
REGALO: Kit de cocina

Actividad 8.b.

1: verdadero. 2: falso. 3: verdadero. 4: falso. 5: falso. 6: falso.

UNIDAD (1)

Actividad 2.b. [PISTA 1]

NATALIA: Vale, y... viene también Alejandro.

MÓNICA: ¿Cómo? No me lo puedo creer, Natalia. Ya estás como siempre. ¿Que viene Alejandro? ¿Tu nuevo compañero de trabajo? Pero, ¿no decías que era un estúpido?

NATALIA: Sí, bueno... eso fue al principio, cuando aún no nos conocíamos. Los primeros días me pareció una persona muy esquiva, demasiado disciplinada... Yo no estaba acostumbrada a tratar con gente así, pero... poco a poco fui conociéndolo mejor y...

MÓNICA: Ya, ya, que ahora te cae fenomenal, ¿no?

NATALIA: Pues sí, os aseguro que es una buena persona y además bastante sociable; yo pensaba que era muy tímido y... nada de eso, es muy, pero que muy agradable. Ya lo comprobaréis el sábado.

EMILIO: Por cierto, que el fin de semana viene mi novia a verme, así que se vendrá a la fiesta también.

NATALIA: ¿En serio que viene Nicole? ¡Qué bien! Así Mónica la conoce. A mí me causó muy buena impresión cuando la conocí en París este verano. ¿Cuánto lleváis ya? Un montón, ¿no?

EMILIO: Pues sí... Este verano hacemos... ¡¡Dos años, ya!! La verdad es que cuando la conocí me resultó impactante, con una personalidad arrolladora que a veces me daba hasta miedo y, como pasa en todas las parejas... mmm... te vas conociendo cada vez mejor y puedo deciros que lo que más me llama la atención de ella ahora es su sensatez. Además, es muy generosa, le gusta ayudar a la gente. Y recientemente he conocido otra faceta suya que no conocía: es muy creativa. ¿Qué queréis que os diga? Que es muy buena compañera, vamos, lo que se dice muy buena gente. Estoy encantado con ella. ¿Se nota?

MÓNICA: Anda que... no estás tú enamorado ni nada, ¿eh? Se te cae la baba. Bueno,... entonces con Nicole seremos... quince, porque al final no vine Mauro.

NATALIA: ¿Ah, no? ¿Qué pasa? ¿Que no puede o que no te apetece que venga?

MÓNICA: A mí me da igual, la verdad, pero me ha dicho que estará fuera el fin de semana, así que...

EMILIO: A ver, a ver... contadme quién es ese Mauro.

NATALIA: ¿Que quién es Mauro? Pues uno que conoció Mónica en su gimnasio y... lleva dos meses hablando de lo encantador que es...

MÓNICA: Sí, es un chico que conocí en el gimnasio y que al principio me resultó muy simpático y agradable... Típico optimista que, además, era muy atento conmigo. Pero vaya, que no ha pasado nada; simplemente me ha llevado un par de veces a casa en coche y por eso le invité a la fiesta.

EMILIO: Ajá, ¿Y estás segura de que no hay nada entre vosotros?

MÓNICA: ¡Que va! Gracias a Dios no pasó nada... ha resultado no ser nada legal. Me contó otra chica del gimnasio que está casado y que hace esto con todas las chicas con las que se cruza; le encanta causar buena impresión pero luego, cuando lo conoces mejor, es una persona muy ambiciosa, y en el trabajo debe de ser igual, vaya, un trepa.

EMILIO: Tranquila mujer, que todavía estás a tiempo de buscarte otro acompañante para el sábado.

MÓNICA: ¡Qué gracioso eres Emilio! De todas formas mejor ir sola que mal acompañada ¿no?

Actividad 4.a. [PISTA 2]

1. ¿En serio?
2. ¡No me lo puedo creer!
3. ¡Vaya! No me lo imaginaba.
4. ¡Qué me dices!
5. ¿Ah, sí? Pues no lo sabía.
6. ¡No me digas!

UNIDAD (2)

Actividad 7.c. [PISTA 3]

MANU: Sí, ¿dígame?

PABLO: Hombre, Manu, ¿qué tal? Soy Pablo. ¡Qué ganas tenía de hablar contigo! ¡Por fin te localizo!

MANU: ¡Hombre, Pablo! ¡Qué alegría oírte! Pensaba llamarte ahora. ¿Qué tal? No muy bien, ¿no?

PABLO: La verdad es que lo he pasado fatal, pero ya se ha aclarado todo y llamaba para explicártelo. ¿Estás ocupado ahora? ¿Te llamo más tarde?

MANU: No, no, ¡qué va! Cuenta, cuenta... Que me tienes la mar de intrigado.

PABLO: Pues mira, resulta que Carolina ha estado haciendo cosas rarísimas. No sé; no era la Carolina de siempre.

MANU: Sí, sí; lo de llegar muy tarde y esas cosas, ¿no? Pero, Pablo, ¿no estarás exagerando? Es difícil imaginarse a

Carolina con...

PABLO: Sí, sí, justo. Yo no me lo podía creer tampoco. Pero, a ver... entre que llegaba bastante más tarde, lo de la colonia y...

MANU: ¿Y no lo hablaste con ella?

PABLO: Pues mira... no; si es que solo fueron tres días. Pero... claro, eran demasiadas cosas y, lo que te contaba en el correo, que le miré la agenda y...

MANU: Ah, sí, el tal Hugo y el corazón, ¿no?

PABLO: Sí, sí, el tal Hugo... Pues bien, esta mañana me levanto y... ¡de repente! me encuentro que Carolina se ha tatuado un corazón con mi nombre en el brazo derecho. Resulta que no me lo ha enseñado hasta hoy porque no quería que lo viera a medio hacer. ¡No veas la ilusión que me ha hecho!

MANU: ¡¡Andá!! ¡Cómo hizo Melanie con Antonio Banderas!

PABLO: Exacto. Total, que esta mañana me ha contado toda la historia. Resulta que hacerse el tatuaje le ha llevado tres sesiones al dibujante… ¿A que no sabes cómo se llama?

MANU: No será Hugo, ¿no?

PABLO: Y por eso la pobre ha estado llegando tan tarde a casa, porque tenía que ir a hacerse el tatuaje después del trabajo.

MANU: ¡Qué bueno, tío! Y tú pensando que Hugo era el amante de Carolina. Carolina abandonándote por estar enamorada de un "tatuador"; no está mal.

PABLO: La verdad es que ahora resulta gracioso, para qué negarlo. Eso sí; cuando vi en la agenda el nombre de Hugo y el corazón dibujado…

MANU: Oye, Pablo… ¿Y lo de la colonia?

PABLO: ¡Ah! Sí, sí, resulta que Hugo pone incienso cuando está trabajando porque le ayuda a concentrarse mejor.

MANU: Ah, vale, vale… O sea que la colonia que te tenía de los nervios era el incienso de la tienda de Hugo.

PABLO: Justo. Pero bueno… la cosa está en que al final se ha aclarado todo y estoy muy, pero que muy, contento.

MANU: ¡No me extraña! La verdad es que me dejaste preocupadísimo con el mensaje.

PABLO: Hombre; es que no era para menos. Por cierto Manu, quería pedirte el teléfono del restaurante japonés del que me hablaste el otro día…

Actividad 9.a. ⬚ PISTA 4

1. Me voy a trabajar tres años a Japón.
2. Mañana viene tu madre a comer.
3. Me ha dejado mi novio.

UNIDAD ③

Actividad 2.c. ⬚ PISTA 5

SERGIO: Buenas tardes; venimos a informarnos sobre alguna escapada para esta Semana Santa.

EMPLEADO: Buenas tardes. ¿Han visto las ofertas del escaparate?

SERGIO: Sí que las hemos visto; lo que hace falta es que nos pongamos de acuerdo.

EMPLEADO: No se preocupen; siéntense.

SERGIO Y ÓSCAR: Muchas gracias.

EMPLEADO: Díganme, según lo que estén buscando, aquí tenemos la solución.

SERGIO: Verá, yo soy más de playa, y lo que me gusta en verano es poder darme un baño en el mar. Lo que más me relaja del mundo es poder ver atardecer tumbado en la arena.

ÓSCAR: A mí en cambio me relaja mucho la montaña, poder dar largos paseos y aprovechar para respirar aire puro por unas horas.

EMPLEADO: De acuerdo, yo les comento las ofertas para esta Semana Santa y después…

SERGIO: Lo siento porque será para usted doble trabajo tener que mostrarnos varios destinos.

EMPLEADO: No se preocupen; es mi trabajo. Les decía que les enseño lo que tengo y luego deciden ustedes, ¿de acuerdo?

SERGIO: Yo estoy muy interesado en alguna playa solitaria.

ÓSCAR: Sí, sí y yo, si al final vamos a la playa también quiero un sitio tranquilo; si no, parece que no desconectas nunca del ruido…

EMPLEADO: Ahá, y en la montaña, ¿qué actividades les gustaría realizar?

ÓSCAR: Ya le he dicho, me conformo con dar largos paseos y poder olvidarme de la contaminación.

SERGIO: A mí me encantaría escalar; dicen que es un deporte que engancha… y nunca lo he probado.

EMPLEADO: Bien, creo que tenemos la solución. Precisamente este año hemos sacado un catálogo en el que ofrecemos solo viajes que combinan las dos cosas: preciosas montañas con relajantes playas.

SERGIO: ¡Anda! Pues eso suena muy bien.

EMPLEADO: Miren, miren este de aquí es el que más les va a gustar, tiene todo lo que me han pedido y además el precio incluye la práctica de varios deportes: vela, windsurf, equitación, buceo…

SERGIO: ¡¿Cómo, que por este precio podemos ir aquí y además hacer un curso de buceo?! Ese es nuestro sueño.

ÓSCAR: Si, sí, sí, a un sitio como este no podemos decir que no.

EMPLEADO: ¿Y les interesaría algún viaje organizado?

SERGIO: A mí me da igual pero a Óscar, no.

ÓSCAR: Hombre, siempre y cuando el grupo no sea muy numeroso…

EMPLEADO: Miren, yo creo que lo mejor va a ser que se lleven el folleto a casa, lo estudien con calma y me llaman cuando…

Actividad 4.a. ⬚ PISTA 6

…Y a continuación tomen nota sobre cómo llegar a nuestros apartamentos si llegan en autobús a Granada:

Los autobuses urbanos pasan con una frecuencia de 10 a 15 minutos. Deberán coger la línea 33 o la línea 3 hasta la catedral, donde cogerán el urbano número 31 con un cartel que pone "Bus Alhambra". Estos autobuses son más pequeños que los normales debido a que nuestros apartamentos se encuentran en un lugar de difícil acceso para los grandes autobuses. En la parada Mirador de San Nicolás deberán abandonar el autobús, ya que ningún medio de transporte puede circular desde ese punto del recorrido. A partir de ese momento el acceso es a pie. Hay una carretera muy estrecha con una cuesta bastante pronunciada. Giren a la izquierda hasta llegar a la Plaza de San Nicolás. Nuestros apartamentos están situados en un edificio blanco con un muro de piedra que se encuentra a la derecha de la plaza, justo enfrente del bar. Allí uno de nuestros agentes saldrá a recogerlos.

Actividad 7.b. PISTA 7

Álvaro: Y esto es el salón; me agobia mucho la falta de espacio; lo bueno es que tiene mucha luz.

Decoradora: Vale, no te preocupes, yo soy decoradora y colorterapeuta y conozco muchos trucos que te van a ayudar.

Álvaro: ¿Sí? ¿Y por dónde crees que tendría que empezar? Necesito ideas para no vivir con esta sensación que me produce tanto estrés.

Decoradora: Ya, ya, te entiendo. Así a primera vista… mmmm…creo que deberías empezar pintando el techo de blanco o crudo, veo que es muy bajo y son los colores más aconsejables para dar una sensación de amplitud. La sensación que tienes es por culpa del color.

Álvaro: ¿Y las paredes? ¿Las vuelvo a pintar de amarillo?

Decoradora: Pues mira, este año están de moda los tonos naranjas y rojos, ¿sabes?, que además combinan perfectamente con la madera de tus muebles. De todas formas, puedes pintarlas del mismo color que el techo, porque amplía la perspectiva y da sensación de espacio. Pero si eliges un color de la gama del naranja o rojo, según la colorterapia está demostrado que con el naranja es más difícil que te deprimas y el rojo te ayuda para trabajar.

Álvaro: Así que, gracias al color de la pared, voy a ser más alegre y más trabajador. Vale, vale, me gusta la idea; voy a pensármelo.

Decoradora: Ah, otra cosa importante, la combinación de cortinas y estores está de plena actualidad; además, los estores permiten que la luz natural entre con más fuerza y lo mejor sería que combinaras lisos y estampados.

Álvaro: ¿Y qué opinas de los muebles?

Decoradora: Hombre, no están mal, pero lo mejor es que pongas flores naturales en varias partes del salón, que dan mucha más alegría y sensación de bienestar; mejor que estas secas que estoy viendo. Es preferible que cambies los cuadros, porque, por culpa de ellos, el salón presenta un aspecto un tanto triste y apagado, es mejor que sean de distintos tamaños e imágenes, no sé… o más variedad de colores, paisajes, figuras…

Álvaro: Y el sofá lo voy a cambiar de sitio.

Decoradora: Claro, claro, al lado de la ventana para poder aprovechar la luz natural cuando leas y, ah, se me olvidaba, un último truco para dar más amplitud al espacio es pintar todas las puertas de la casa de color blanco. Es increíble, pero debido al color de las puertas, una casa puede transmitir una imagen de claridad u oscuridad.

Álvaro: Ajá… de acuerdo, voy a tomar nota de todas las cosas importantes que estás diciéndome: las puertas de blanco, cambiar los cuadros…

Decoradora: Por mi parte creo que nada más, sabes que podemos prepararte un presupuesto sin compromiso, porque cada color tiene un precio distinto, ¿eh?

Álvaro: Ya, ya, es lo que leí en la revista. Muchas gracias, me lo pienso y te llamo sin falta esta semana, ¿vale?

Decoradora: De acuerdo, hasta pronto y gracias a ti por contar con nosotros.

UNIDAD

Actividad 3.b. PISTA 8

Mateo: ¡Hombre, Sofía! ¡Qué sorpresa! ¿Qué tal?

Sofía: ¡Hola! Cuánto tiempo… Pues ya ves, trabajando un poco.

Mateo: Estás hecha una experta en cafés, ¿eh?

Sofía: ¡Qué remedio! He tenido un curso de formación y la verdad es que he aprendido un montón.

Mateo: ¿Ah sí? Por cierto, ¿qué horario tienes? No te había visto nunca por aquí.

Sofía: Trabajo solo media jornada, de siete a once, pero hoy me han cambiado el turno. Ufff… lo de madrugar lo llevo fatal. Lo bueno es el ambiente de trabajo, estoy muy contenta.

Mateo: Ya, ya, te entiendo; por cierto que… yo también tengo un trabajo nuevo.

Sofía: ¡Anda!, no tenía ni idea…

Mateo: Sigo de comercial pero, en otra empresa; además, me hicieron fijo a los dos meses y tengo una semana más de vacaciones.

Sofía: O sea, que has abandonado el mundo de los móviles ¿no?

Mateo: Sí, sí. Estaba harto, ahora tengo la oportunidad de desarrollarme profesionalmente; además de lo de la semana más de vacaciones, nos dan mejores comisiones… Vaya, que no me puedo quejar.

Sofía: ¡Qué bien!, ¿no? Eso de las comisiones debe de ser una maravilla. Yo me saco algo con las propinas, pero mi sueldo siempre es el mismo.

Mateo: Pues sí. Está muy bien, la verdad. Ahora ya… mi contrato es de ocho horas, de 9 a 6 con una hora para comer. Todos tenemos jornada completa, pero al final siempre hay que hacer horas extras. Pero lo que te digo, que no me puedo quejar. El sueldo está muy bien: un fijo que no está nada mal y después las comisiones según la cantidad de ventas que consigamos hacer.

Sofía: ¿Y qué vendes ahora?

Mateo: Es una empresa alemana que se dedica a los repuestos de automóvil. Me mandaron dos meses a Frankfurt para hacer unos cursos de formación, tuve que mejorar mi alemán… pero bueno, ya te digo que encantado.

Sofía: Pues nada, si vienes otro día, me verás por aquí; tengo un contrato de tres meses y quizá me lo renueven para otros tres.

Mateo: Sí, mujer, seguro que sigues mucho tiempo y me tomo muchos cafés contigo, ya lo verás.

Sofía: Bueno, bueno, ya veremos. Que no todos estamos tan bien como tú, ¿sabes? Yo aquí no tengo ninguna posibilidad de promoción.

Mateo: Ya, me lo imagino. Bueno, hasta otro día.

Sofía: Hasta la próxima, Mateo, y que sigas bien.

Actividad 5.a. [PISTA 9]

ENTREVISTADOR 1: Por cierto, ¿qué tal las entrevistas de ayer?

ENTREVISTADOR 2: Bien, muy bien.

ENTREVISTADOR 1: ¿Te has decidido ya por alguna de las dos?

ENTREVISTADOR 2: Pues no, aún no lo tengo claro, la verdad. Es que… A ver, te cuento. Primero les pregunté por el motivo que les llevó a estudiar Arquitectura, ¿no? Lola, la morenita, lo dejó muy claro: desde pequeña ha estado rodeada de este tema en casa, en los viajes con sus padres… Claro, como su padre también es arquitecto. Y Carlota, la de Segovia, es artista de nacimiento; dijo que desde pequeña ha vivido siempre con un lápiz en la mano y que diseñó su primer edificio a los cuatro años: un iglú de madera.

ENTREVISTADOR 1: No está mal.

ENTREVISTADOR 2: No está mal, no. Sobre sus expectativas profesionales, aquí son muy distintas. Carlota está muy interesada en que su obra llegue a la gente, que la gente disfrute con sus creaciones. Sin embargo, Lola es mucho más materialista y lo que tiene muy claro es que le gustaría llegar lejos.

ENTREVISTADOR 1: Así que… son bastante diferentes, ¿no?

ENTREVISTADOR 2: Sí, sí completamente. Por eso precisamente tengo tantas dudas.

ENTREVISTADOR 1: ¿Y qué más les preguntaste?

ENTREVISTADOR 2: Pues, después… Espera que mire mis notas… Ah, sí… les pregunté la razón que les había llevado a cambiar de trabajo. Y… bueno, Lola trabaja con su padre y su objetivo es abrirse su propio camino, no depender de nadie; Carlota… no sé… dijo que estaba muy contenta en Londres pero que ahora preferiría volver a España. Lo cierto es que no explicó por qué. Yo creo que es algo personal.

ENTREVISTADOR 1: Puede ser, sí.

ENTREVISTADOR 2: Y al final, les hice las dos preguntas que más me gustan: primero, la de virtudes y defectos; y después, la de qué harían si tuvieran un problema con sus compañeros de trabajo.

ENTREVISTADOR 1: ¿Y qué tal?

ENTREVISTADOR 2: Pues… a ver… Lo bueno de Carlota es que es muy sociable, debe de trabajar muy bien en grupo y se muestra muy predispuesta a recibir y aportar ideas nuevas. Eso sí, es una artista y eso, aunque es bueno, pues… ya se sabe, a veces le hace estar un poco en su mundo. Vaya que… se despista con facilidad. Lola necesita tenerlo todo bajo control, hacerlo todo perfecto y, si las cosas se tuercen o no salen bien, puede ponerse un poco nerviosa. Se definió como muy metódica, trabajadora y seria; como alguien muy exigente consigo misma y con los demás.

ENTREVISTADOR 1: Ja, qué curioso; está claro que no tienen nada que ver entre ellas. Son completamente opuestas… ¿Y lo de los conflictos? ¿Qué contestaron a lo de tener problemas con los compañeros?

ENTREVISTADOR 2: Lo cierto es que no me sorprendieron. Para Carlota sería un problema que ocuparía todo su tiempo, su objetivo principal sería solucionar el problema; no dudaría en hablar con sus colegas y no podría sentirse bien hasta que no lograra volver a tener un buen ambiente de trabajo. Lola; dijo que lo vería como algo normal que habría que resolver para que no afectara negativamente al ritmo de trabajo.

ENTREVISTADOR 1: Sí, tiene sentido. Y… oye… ¿por cuál te vas a decidir?

ENTREVISTADOR 2: Pues lo que te decía antes… que no lo tengo nada claro porque…

Actividad 5.c. [PISTA 10]

1. Disfruto mucho trabajando en equipo.
2. Me encanta dibujar.
3. Me gusta muchísimo aprender.
4. Soy muy creativa.

UNIDAD (5)

Actividad 7.a. [PISTA 11]

KORO: Security life, ¿dígame? Le atiende Koro Cruz.

VIOLETA: Buenos días, Srta. Cruz, quería hacer una consulta en relación al funcionamiento de la alarma que les compré hace un año.

KORO: Dígame su nombre, por favor.

VIOLETA: Violeta Sein.

KORO: Sí, un momentito, que ahora busco su ficha; dígame, por favor su clave.

VIOLETA: Uy, no la recuerdo, creo que "CHALET47SEIN" o "CHALETSEIN47", no estoy segura.

KORO: No se preocupe, aquí lo tengo, el contrato de hace un año exactamente a nombre de Violeta Sein. La clave es la segunda que usted ha mencionado, "CHALETSEIN47". Pues muy bien, dígame ahora cuál es el motivo de su llamada, por favor.

VIOLETA: Pues mire, ¡estoy indignada! Hace solo un año les compré una alarma y ustedes me aseguraron que era la más segura del mercado. Este ha sido el primer fin de semana que hemos dejado la casa sola desde entonces y al volver mi marido y yo nos hemos encontrado con que nos han robado; imagínese el disgusto que tenemos.

KORO: Señora, tranquilícese, ¿no acudió la policía en ningún momento?

VIOLETA: ¿Policía? Pero, ¿no le estoy diciendo que no saltó la alarma? El sensor no notó que había gente dentro de la casa, con lo cual los ladrones anduvieron sin ninguna prisa, imagínese.

KORO: Sí, ya veo, un momentito que le paso con mi compañero del servicio técnico y él le explicará lo sucedido y le dará una solución, ¿de acuerdo? Sra. Sein, ¿quería hacer alguna otra consulta?

VIOLETA: ¿Que si quiero hacer otra consulta? ¿Que me van a dar una explicación dice usted? Ya le he dicho que la alarma no saltó y para eso no hay explicación que valga.

Koro: ¿Cómo dice usted?

Violeta: Lo que digo es que me voy a dar de baja con ustedes. ¡Qué poca seriedad! Y sí, sí tengo otra pregunta, le rogaría que me explicara ahora mismo cómo y dónde puedo poner una reclamación.

Koro: Bueno, pues mire, si lo que quiere es poner una reclamación, Sra. Stein, tiene que...

Actividad 7.b. PISTA 12

Fue horrible, de repente la urbanización se quedó a oscuras. Yo estaba en la cocina y, cuando la luz se apagó, del susto se me cayeron los platos. Estábamos sin luz en toda la casa y algunos electrodomésticos dejaron de funcionar, por ejemplo se paró la lavadora y se fue la imagen de la televisión. Mi marido estaba trabajando y, del susto, tiró el vaso de agua: se le mojaron todos los papeles y se le rompió la pluma. Creo que lo de la luz fue una estrategia de los ladrones para poder entrar en el chalé de la pobre Violeta. Nos asustamos muchísimo, pero decidimos salir al jardín para ver si veíamos a alguien. Como estábamos a oscuras y muy nerviosos, dejamos la puerta abierta y se nos escapó el gato. Intentamos buscarlo pero sin luz en la parcela fue imposible encontrarlo. La valla del jardín estaba recién pintada y, como me acerqué demasiado, se me mancharon los pantalones de pintura. Para colmo, mi marido se tropezó con una piedra y al pobre se le salió la zapatilla y se cayó. En fin, que un desastre. Además, como se estropearon los teléfonos, no pudimos avisar a la policía. Ayer hablé con Violeta y me contó que en su casa también se habían estropeado varios electrodomésticos.

Actividad 8.a. PISTA 13

1. Juan me sugirió que juntara todas las sugerencias tratadas en la junta y eligiera lo más justo. Yo le dije que, en conjunto, las tejas rojas eran lo mejor para que el tejado conjuntara con el conjunto de la comunidad.

2. A Pablo le resulta inadmisible que el problema de los cables sean los fusibles. Y a la vez alega que es intolerable e inadmisible que el contable no hable de estas notables dificultades con la totalidad de los vecinos.

3. Ramón repitió que dar de alta el gas era ridículo cuando recientemente se habían roto los contadores y cuando, en raras circunstancias, se había reventado el motor del ascensor.

UNIDAD (6)

Actividad 5.b. PISTA 14

Y ahora, como todos los viernes, pasamos a resumir los tres sucesos más destacados de la semana.

Pablo Z. L., de 32 años, entró a la una de la mañana del 1 de abril en una vivienda de la conocida urbanización de la Mocaleja y metió en varias bolsas de basura todo lo que encontró de valor. Debía de estar muy cansado porque, tras hacer nudos en las bolsas para llevarlas a su furgoneta, se quedó plácidamente dormido en el cómodo sofá del salón. Cuando regresaron los dueños de la casa y se encontraron al ladrón plácidamente dormido, tuvieron tiempo de llamar a la policía, quien lo detuvo con facilidad y sin contratiempos.

La policía apresa a J. V. R., quien hace más de una semana logró escapar de la cárcel de Moratiños cuando solo le quedaban dos semanas más en prisión. Tras volver a visitar los tribunales para la celebración de un nuevo juicio e intentar explicar sus pequeñas vacaciones, el juez decidió que J. V. R., deberá permanecer sin libertad un año más. Probablemente ahora J. V. R. esté mucho más triste que durante los pocos días en los que disfrutó de su corta libertad ilegal.

Cada vez los ladrones nos sorprenden más con sus ideas para cometer delitos. La mañana del miércoles, un joyero denunció que, al llegar al trabajo, se había encontrado su negocio vacío. Las cámaras han grabado la actuación de tres jóvenes que, tras abrir un pequeño agujero en la verja de la tienda, metieron el tubo de un aspirador y dejaron los escaparates sin polvo ni joyas, perfectamente limpios. Ahora hay una orden de detención por robo contra los tres sospechosos, presuntamente vecinos del joyero y, sin duda, muy ingeniosos.

Actividad 6.a. PISTA 15

estrés
relámpago
atracar
cadáver
cárcel
ladrón
orden
médico
escándalo
pistolas
artículo
hospital
víctima
bebé
condena

Actividad 6.d. PISTA 16

delitos
rescatar
clínica
revólver
búsqueda
quizá
éxito
intriga
interés
fanático
corazón
preso
céntrico
crimen
mortal

UNIDAD (7)

Actividad 7.b. PISTA 17

1.

Paloma: Mira este, Ronaldo... ¡Qué bonito!

Ronaldo: Sí, no está mal.

Paloma: Lo que más me llama la atención es que es como si el dolor de las dos figuras transmitiera belleza, ¿no?

Ronaldo: No sé... Yo lo encuentro un poco triste.

Paloma: ¿Triste? A mí me parece que tiene mucha fuerza. Creo que el artista quería transmitir una sensación de optimismo...

Ronaldo: No sé... Yo no lo veo así. Tiene mucho color, eso sí, pero... no sé... Por otro lado, fíjate bien, no es un color brillante y luminoso, sino pesado y denso. A mí me transmite sensación de tristeza y amargura.

2.

PALOMA: ¿Has visto este, Ronaldo? ¡Impresionante! Lo encuentro precioso.

RONALDO: ¿Síiii? A mí no me gusta, me parece muy simple.

PALOMA: ¿Simple? Todo lo contrario. Creo que el artista ha conseguido reducir los objetos a sus volúmenes primarios.

RONALDO: Ya… bueno… ¿Y eso no es simple?

PALOMA: Pues, no, no es simple, Ronaldo. Fíjate. Los detalles desaparecen y las formas simples son las que transmiten la esencia de los objetos.

RONALDO: No sé; si tú lo dices… Lo veo muy abstracto.

PALOMA: No, no es abstracto, Ronaldo. Es un cuadro cubista y lo que representa es la esencia de la realidad. Además, si te fijas bien, el pintor ha introducido elementos de la realidad. Es más, ha introducido elementos de la realidad objetiva: ¿no ves las letras? ¿Y no hay ahí una botella?

RONALDO: No sé, chica, yo no lo entiendo y no me gusta mucho, la verdad.

3.

RONALDO: Mira, Paloma, este sí que es increíble.

PALOMA: Sí, no está mal.

RONALDO: ¡¿Que no está mal?! Es alucinante. Es un arte activo, de denuncia social.

PALOMA: Sí, pero… No sé… Me parece un poco frío.

RONALDO: No, no es frío. Lo que pasa es que el artista quiere transmitir la intranquilidad, el miedo y la angustia de la gente.

PALOMA: Pero, ¿no te resulta muy gris?

RONALDO: Sí, bueno… es gris porque el pintor quiere mostrarnos un paisaje desolado, sin gente… Quiere reflejar la realidad tal y como es. No busca la belleza sino la crítica, ¿no crees?

PALOMA: Sí, sí… puede ser.

Actividad 9.b PISTA 18

1. Es una forma de inundar Internet con muchas copias del mismo mensaje, en un intento por alcanzar a gente que de otra forma nunca accedería a recibirlo y menos a leerlo. La mayor parte son anuncios comerciales.

2. Este término se define por los asuntos que aborda, por los personajes que exhibe y coloca en primer plano y, sobre todo, por el enfoque distorsionado al que recurre para tratar dichos asuntos y personajes.

3. Por lo general, las marcas de lujo y las deportivas, así como la ropa vaquera, son las más castigadas por esta plaga que copia el nombre, el logotipo y el diseño. El principal punto de venta son los mercadillos ambulantes existentes tanto en las grandes ciudades como en las poblaciones más pequeñas.

4. Su consumo ha aumentado espectacularmente en la última década en los países desarrollados, e incluso ha llegado a los países subdesarrollados, donde no tienen información sobre los efectos negativos que provocan en el consumidor.

Actividad 9.c PISTA 19

1. "Spamno" se dedica a facilitar al consumidor la lectura diaria de sus mensajes, ahorrándole así tiempo y esfuerzo en eliminar y deshacerse de todos los que llegan a su buzón sin ser solicitados. Es muy fácil acceder a nuestro servicio, y el usuario puede probar este sistema sin ningún tipo de compromiso. Y durante el primer año… una oferta exclusiva: contrate nuestro servicio 24 horas con un descuento del 50%.

2. Muchos telespectadores van descubriendo que detrás de la telebasura se esconde el trabajo de muchos profesionales. Además, no es un delito divertirse con la televisión. Nosotros buscamos un programa poco serio y nuestros invitados se lo pasan bien con temas superficiales e intrascendentes. Nuestro objetivo es: informar y comunicar a los espectadores sobre la vida de sus famosos favoritos y… parece que no lo hacemos mal, porque nuestra audiencia no deja de subir.

3. Hola a todos: soy diseñadora de bolsos y estoy creando una empresa con la idea de hacer una marca propia. Busco gente con ideas originales de edades comprendidas entre los 25 y 30 y, eso sí, con muchas ganas de trabajar. En principio estoy preparando una colección de bolsos con mensajes originales para este otoño. Mi intención es revolucionar el mundo del bolso y que la gente vea y compre otros diseños; mi propósito es que no se limite a comprar las falsificaciones de las marcas de lujo más conocidas a nivel internacional.

4. "NEKA" es el 4º restaurante que hemos abierto en Barcelona en el último año. Se trata de un concepto actual, de hoy, una comida rápida y saludable para todo el que quiera acercarse a nuestros locales. En todos ellos ofrecemos el mismo menú, la estructura y el diseño es el mismo, e incluso tenemos el mismo número de metros cuadrados en cada unos de los establecimientos. Todos cuentan con seis camareros para servir las 40 mesas que tiene el restaurante. Está claro lo que perseguimos: la calidad, la uniformidad y el equilibrio en nuestro negocio.

UNIDAD ⑧

Actividad 3.a. PISTA 20

Y ahora, como todas las mañanas, damos paso a los mensajes que han dejado nuestros oyentes en el contestador.
- Pues mire, llamo para reclamar mis derechos como ciudadano que soy. Tengo la mala suerte de ir en una silla de ruedas y cada vez que necesito coger el autobús tengo que esperar horas, porque son muy pocos los que están adaptados a mis necesidades. Lo mismo me pasa cuando quiero ir de viaje: apenas hay hoteles económicos con rampas, habitaciones amplias y baños adaptados. Cuando me compré la casa, incluso, tuve que tirar tabiques, solicitar que cambiaran el ascensor y un montón de cosas más. En fin, que mientras algunos piensan en el diseño, otros nos sentimos cada vez más excluidos de esta sociedad.
- A ver, yo quiero comentar que estoy totalmente en desacuerdo con las políticas paternalistas del Estado que prohíben la prostitución. Yo creo que se debería legalizar, porque de este modo habría más control sanitario,

desaparecerían muchas mafias, se evitarían los maltratos y abusos a estas mujeres por parte de clientes y de los que las explotan. Estoy convencida de que la legalización de la prostitución reduciría la violencia contra estas trabajadoras del sexo y las ayudaría en la transición hacia un empleo mejor.
- Lo que quiero comentar es que después de las armas, en mi opinión, la droga es el gran negocio mundial. Se debería dejar de castigar al que la consume y luchar contra las mafias que especulan y se benefician de ella. Vamos, que considero que legalizarla ayudaría a erradicarla. Por ejemplo, si se construyeran centros de venta estatales, donde los consumidores pudieran comprar determinados tipos de estupefacientes de forma más económica, no habría tanta corrupción, ni robos, en fin, ni toda una economía sumergida que hoy por hoy existe.

Actividad 5.a. PISTA 21

MODERADOR: Queridos oyentes, damos paso ahora a los participantes de "Un país sin violencia". Hoy están con nosotros Socorro Gutiérrez, trabajadora social, Tomás López, el presidente de la asociación Pro Familia y Ana Vaso, la concejal de asuntos sociales. Bien, lo ideal sería que este tema de máxima actualidad no fuese más que un tema marginal de nuestra sociedad, pero no es así.

ANA: Eso, eso es verdad. Este fin de semana hemos sabido que son ya 49 las mujeres que han perdido la vida a manos de sus compañeros sentimentales. No obstante, estamos muy contentos con la nueva ley que ha aprobado el gobierno para facilitar las órdenes de alejamiento del agresor con su víctima.

SOCORRO: Bueno, bueno... disculpa que te interrumpa pero... son casi 50 las mujeres que han perdido la vida en los primeros seis meses del año, y eso que no se habla de las que sufren día a día el maltrato psicológico de sus parejas. Vamos, que por mucha orden de alejamiento que haya, yo creo que el Estado no se está ocupando realmente de este gravísimo problema porque digo yo...

ANA: ¿De verdad crees que el Estado es el único responsable de acabar con este problema social? Perdone que tome el turno de palabra. Pues mi experiencia me dice...

MODERADOR: Perdonad que os interrumpa, pero quisiera que Tomás López hiciera su aportación como defensor de la familia.

TOMÁS: Muchas gracias por darme la oportunidad de expresarme en este medio. Creo que es...

ANA: Solo un comentario más y no vuelvo a interrumpir. ¿Sabéis que se han comenzado a distribuir pulseras que detectan el lugar en el que se encuentran los maltratadotes? Lo que permite que la policía sepa en todo momento donde se encuentran los maltratadores y de este modo las mujeres pueden llevar una vida más tranquila.

Actividad 11.a. PISTA 22

1. Florian, cariño, acuérdate de visitar todos los museos que puedas: el Reina Sofía, el Prado, el Thyssen-Bornemisza... Son un poco caros, bueno... carísimos, la verdad... pero muy muy interesantes. Ya verás. ¡Ah, sí! Intenta visitar también el Palacio Real por dentro. Es muy bonito. Bueno, hijo, disfruta del viaje y llámanos algún día, ¿vale? Un beso.

2. Hola, Florian, soy Marga. Solo quería decirte que aproveches mucho el tiempo y ya verás como el curso que viene ya no estarás en mi clase sino un par de niveles más arriba... Viajando al extranjero y pudiendo practicar la lengua en el país en la que se habla, aprendes muchísimo más rápido y más fácilmente, ya veras. Eso sí... ¡¡habla con los nativos, ¿eh?!! Que te lo pases fenomenal.

3. Flo, que solo quería desearte que te lo pases muy bien por España. Seguro que disfrutas de todo menos de la comida: ¡¡está malísima!! Bueno, ya nos contarás a la vuelta. Y... oye,... ¡que conozcas a muchas españolas guapas!

Actividad 11.b. PISTA 23

AMIGO: Oye, por cierto, ¿qué tal por Madrid?

FLORIAN: Bueno, fenomenal, me lo he pasado superbién. Es una ciudad muy interesante. Tiene muchísimos museos, exposiciones... ¡de todo! Además, mi madre me dijo que eran muy caros, pero... ¡qué va! Son mucho más baratos que aquí. Y la gente... me he quedado alucinado, son majísimos, muy simpáticos. Es muy fácil hablar con la gente por la calle, también con los que no conoces. Mi profesora me dijo que en un país hispanohablante se podía aprender con mucha más facilidad que aquí y... sin duda. Tengo la sensación de haber aprendido en tres meses lo mismo que habría aprendido aquí en un año.

AMIGO: Así que... te ha encantado, ¿no? ¿No tienes nada malo que contar?

FLORIAN: ¡Qué va! Me dijeron que la comida estaba malísima y... todo lo contrario.

AMIGO: Así que recomiendas la visita, ¿no?

FLORIAN: Sí, sí, por supuesto, merece muchísimo la pena.

UNIDAD (9)

Actividad 3.b. PISTA 24

1.

GREGORIO: Hombre, Pascual, cuánto tiempo... Pensaba que ya habías abandonado tu paseo diario.

PASCUAL: ¡Qué va! Es que he estado ingresado bastante tiempo.

GREGORIO: ¡¿Ingresado?! No tenía ni idea; y ¿qué te ha ocurrido?

PASCUAL: Pues la cosa empezó de la manera más tonta que te puedas imaginar: empecé con un dolor en el costado, luego se me pasó al muslo y tenía todo el rato ganas de orinar.

GREGORIO: Ahá, alguna infección de orina, seguro.

PASCUAL: No, no, de infección, nada. Más tarde empecé con náuseas e incluso me subió bastante la fiebre. De todos modos, lo que más me asustó es que empecé a echar sangre en la orina.

GREGORIO: ¡Vaya susto! ¿No? ¿Y qué te dijo el médico?

PASCUAL: Ellos lo llaman litiasis renal, lo que comúnmente se conoce como piedras en el riñón o cálculo renal. Y han tenido que operarme.

GREGORIO: Pues nada, me alegro de verte así de bien... y de que haya pasado el susto.

2.

Hija: Mamá, ¿te acuerdas de lo que le pasó al abuelo el año pasado?

Madre: ¿Lo de los ojos?

Hija: Sí, sí, eso, es que tengo que hablar de alguna enfermedad que haya ocurrido en la familia… es para un trabajo del colegio.

Madre: Pues ahora mismo no recuerdo el nombre de la enfermedad pero lo que sí recuerdo son los síntomas que tuvo el pobre hombre.

Hija: Yo siempre recuerdo al abuelo diciendo que veía moscas, ¿verdad?

Madre: Sí, es verdad, ese fue uno de los síntomas. Estuvo unos días con náuseas y vómitos y decía que veía borroso y que veía moscas volantes o centelleantes, una cosa muy rara.

Hija: ¿Y no le dolía?

Madre: Sí sí, se quejaba de dolor en el ojo izquierdo y también de dolores de cabeza.

Hija: ¿Y qué le diagnosticaron?

Madre: Era un problema de la tensión del ojo, un aumento anormal; mmm, sí, ahora me acuerdo, se le llama glaucoma.

Hija: ¿Y es algo típico solo de los mayores?

Madre: Es más común en gente mayor que en jóvenes. Al abuelo le recetaron unas gotas y se le pasó bastante rápido, pero hay casos en los que el paciente puede incluso llegar a quedarse ciego.

3.

Aurora: ¿Qué tal? ¿Cómo tú por aquí?

Pilar: Ya ves, que he venido a por unas recetas para Rafael.

Aurora: Por cierto, ¿cómo va de lo suyo?

Pilar: Bueno, pues ahí va, poco a poco. Me he acostumbrado ya a repetirle las cosas; como no entendía nada, pues confundía lo que le decía; todos los ruidos le molestaban y, creas o no, eso dificultaba muchísimo la relación del día a día.

Aurora: ¿Y cómo se siente ahora?

Pilar: Pues, ¿qué quieres que te diga?, tiene días mejores y días peores… Dice que le crea malestar y estrés la dificultad para entender las palabras durante una conversación; debe de ser un obstáculo muy grande, imagínatelo.

Aurora: Sí, sí, desde luego que eso de la sordera tiene que ser durísimo.

Pilar: Y el volumen de la televisión siempre a tope; a veces paso hasta vergüenza por el qué dirán los vecinos. Y eso que le han puesto un audífono, uno de esos aparatos para que oiga mejor.

Médico: Pilar Mora.

Pilar: Sí, soy yo. Bueno, Aurora, que me alegro mucho de verte… y a ver si coincidimos otro día, pero no en el médico, ¿eh?

PISTA 25	PISTA 26	PISTA 27
Actividad 4.a.	**Actividad 4.b.**	**Actividad 4.c.**
aceites naturales	raíz	contraindicación
hemorroides	reírse	páncreas
náuseas	oído	adecuado
paciente	reúnen	inocuo
alivio	ecografía	creencia
viudo	ríen	coordinar
cuidarse	caerse	cirugía
	córnea	farmacéutico
	poseer	frío
	hipoacusia	envejecimiento
	héroe	veintiún
	antiinflamatorio	cardíaco
		terapia
		homeopático
		gastroenteritis
		reúma

Actividad 9.b. PISTA 28

Queridos radioyentes de *En pocas palabras*. Como todos los lunes por la tarde damos paso a las tres noticias seleccionadas por el Doctor Ruiz. Juzguen ustedes mismos.

● Los helados que nos comemos en Europa tienen un coste anual de once mil millones de dólares; la inmunización de todos los niños del mundo, solo de mil trescientos millones.

● La Organización Mundial de la Salud ha vaticinado que la depresión se convertirá, en los próximos años, en el segundo problema de salud mundial en países desarrollados, después de las enfermedades cardiovasculares.

● El número de pacientes que trata *Médicos sin fronteras* se ha incrementado con gran rapidez en los dos últimos años.

UNIDAD (10)

Actividad 4.b. PISTA 29

Señores, me llega una última noticia desde el aeropuerto de Barajas: Más de doscientos pasajeros de Flying protagonizaron ayer una protesta en el aeropuerto de Madrid que requirió la presencia de la policía, tras sufrir retrasos en sus vuelos y no conseguir que la compañía les abonase los viajes que habían perdido; ni que los alojasen en un hotel. La mayoría de los pasajeros sufrieron retrasos de diez horas, lo que provocó que muchos de ellos perdieran sus conexiones a otros destinos y que todos denunciaran que la compañía se había negado a pagar esos vuelos que habían perdido. Otros pasajeros que sí consiguieron que les cambiasen el billete para el día de hoy se encontraron con otro problema: la compañía les dijo que no les alojaría en un hotel, porque no era su obligación. A los pasajeros de estos vuelos se les unió un grupo de unas cien personas que debían haber volado ayer por la noche a Santiago de Chile y no lo hicieron por una sobreventa de billetes (*overbooking*). Sobre las 8.30 de la mañana de hoy todos los afectados se han concentrado ante las oficinas de Flying y han exigido volar de inmediato y sin pagar más dinero. Y esto es todo de momento en las noticias de las tres.

Actividad 7.a. `PISTA 30`

A continuación paso a enumerar, para información de todos, las condiciones que nos han sido enviadas respecto a las obras que queremos realizar en el pueblo:

Número 1: La ampliación del pantano se realizará en los meses de verano siempre y cuando haya pocas precipitaciones.

Número 2: Los paneles solares se colocarán en todas las viviendas siempre que estas no tengan más de dos alturas.

Número 3: La primera obra terminada será el polideportivo a no ser que la constructora incumpla los plazos prometidos.

Número 4: Si los comerciantes se ponen de acuerdo, el mercado de los martes se reubicará en la plaza del pueblo.

Número 5: Salvo que haya imprevistos o fuerzas mayores, los cortes de agua van a producirse siempre después de las tres de la tarde.

Actividad 8.b. `PISTA 31`

Dante: Pero Bruno, ¿qué te pasa hoy?

Bruno: No sé… es como si no me acordara de ninguna señal de tráfico. A ver si me espabilo. ¿Te importaría que parara dos minutos para tomarme un café?

Dante: Venga, pero rapidito, ¿eh? ¡¡¡Pero, Bruno, ¿cómo se te ocurre estacionar aquí?!!! ¡¡¡¿No ves que esta señal te avisa de que solo pueden aparcar autobuses?!!!

Bruno: ¡¡Anda, es verdad!! Mira, me meto por aquí a la derecha y listo.

Dante: Sí, hombre, estás de broma, ¡¡¡¡¿no ves que esa señal te indica que está prohibido el paso?!!!!!

Bruno: ¿De verdad? Creo que no la había visto en mi vida.

Dante: Una más de estas y hago que te examinen del teórico de nuevo. Pues sí que estamos buenos.

Bruno: Oye… no me digas eso, tío, vaya ánimos me das. Mira, pasado este cruce hay una cafetería con muchos sitios para aparcar.

Dante: Pero, ¡¡¡¡¡¡para, para!!!!!! ¡¡¡¡¡¡¿No ves que acabas de saltarte una señal que te obliga a parar siempre?!!!!!!

Bruno: ¿Seguro? Te juro que no la he visto. Es que solo pienso en el cafetito, tío, y no veo nada.

Dante: Pues frena, frena que esta señal avisa de que hay badenes y no puedes ir a más de 20. ¡Madre mía! Que mañanita me estás dando.

Bruno: Vale, vale… tampoco es para ponerse así, tío.

Dante: No, ¡qué va! A ver, antes de aparcar, dime, ¿de qué te avisa esa señal?

Bruno: ¿Cuál? ¿Esa? Ni idea, ¡esa sí que es rara!

Dante: Chico, no entenderé nunca cómo aprobaste el teórico. ¿Seguro que no copiaste? Eres un ignorante. Esa señal informa de que acabas de meterte en una calle sin salida. Estoy harto de ti. Vámonos a la autoescuela antes de que atropelles a alguien. Anda, coge ese túnel que así evitamos los semáforos de la avenida.

Bruno: Oye, tío, y ese borde, ¿por qué me da las luces?

Dante: Pues porque simplemente estamos en un túnel y al entrar había un cartel que…

Bruno: Ya lo sé, tío, ya lo sé… un cartel que obliga a llevar las luces de cruce encendidas y a mí se me ha pasado por completo… Qué mal estoy; si me hubieras dejado que me tomara el cafetito, no me pasarían estas cosas.

UNIDAD (11)

Actividad 7.a. `PISTA 32`

traéis
inquietud
limPIÁIS
vivíais
conFIÉIS
saboreéis
evaLUÁIS
salíais
virreyes
contiNUÉIS
estaríais
oíais

Actividad 7.b. `PISTA 33`

intercambiéis
huíais
estudiáis
hablaríais
espiéis
paraguayo
caéis
rodeéis
quiosco
evaluéis

Actividad 8.a. `PISTA 34`

Locutora: Buenas tardes a todos. Hoy vamos a hablar de qué hubiera sido si…, de qué habríamos hecho en el caso de… Y para ello esta noche tenemos con nosotros a Miguel Luis Bosy. Este grandísimo periodista lleva ya más de… ¿25 años?

Miguel Luis: Sí, Rosa, sí… 27 años para ser más exactos.

Locutora: 27 años entrevistando a famosos y, sobre todo, a

escritores. Bien, Miguel Luis, ¿qué vienes a contarnos hoy?

Miguel Luis: Bueno, Rosa, lo primero buenas tardes a ti y a los oyentes. Que sepas que soy un auténtico fan de tu programa y que te sigo desde hace años.

Locutora: Sí, bueno… gracias Miguel Luis, para mí es un honor contar con oyentes como tú, ya lo sabes… Pero… vamos al grano. ¿Qué vienes a contarnos?

Miguel Luis: Pues bien… vengo a contaros unos cuantos secretos que he descubierto a lo largo de estos años sobre algunos escritores y, más concretamente, vengo a contaros qué les hubiera gustado ser a algunos de nuestros escritores más destacados, si no se hubieran dedicado a la pluma.

Locutora: ¡Anda, qué interesante! Y… ¿sobre quién vas a empezar hablando?

Miguel Luis: Pues… veamos… Voy a empezar por Mario Benedetti: de Mario no podemos afirmar en ningún caso que soñara con una vida muy distinta a la suya y desde chico supo que lo suyo era la escritura. Quizá otras profesiones podrían haberle dado fama y poder, como la política, o tranquilidad y paz, como la religión, pero Benedetti lo tenía claro desde el principio.

Si algo le hubiera gustado también es jugar al ping-pong…
Bueno… jugar, jugar, no lo sé… ser campeón, eso sí.

LOCUTORA: Eso sí que es curioso y, sobre todo, cuesta encontrar puntos de conexión entre la profesión de escritor y la de jugador profesional de ping-pong.

MIGUEL LUIS: Sí, sí, es curioso. Se parece un poco al caso de Bryce Echenique. Parece que algunos escritores echan de menos un poco de riesgo en sus vidas. Si Bolaño un día me dijo que a él le hubiera gustado ser detective, Alfredo afirmó que le habría gustado ser torero o incluso toro. Claro que… ahora que lo pienso… no sé si por el riesgo o por el significado y todo lo que rodea el mundo del toreo.

LOCUTORA: Te aseguro que conozco bien a Alfredo, pero, nunca se

me habría ocurrido que alguna vez hubiera soñado con estar en una plaza.

MIGUEL LUIS: Sí, sí, yo tampoco. A mí también me sorprendió. Y, por último, os puedo contar algo de los deseos de Jaime Bayly. Jaime tiene las cosas clarísimas; Creo que en la literatura encontró al amor de su vida y no está dispuesto a dejarla escapar. Él es incapaz de pensar en otra opción, él es escritor y… si no hubiera podido ser escritor, pues entonces… escritora, ya está, así de fácil.

LOCUTORA: Uy… pues eso sí que es una buena idea; seguro que tendría tanto éxito como ahora o más, ¿no? Bien… Miguel Luis, todo lo que has contado ha sido muy interesante. Ahora, hablemos un poco de ti… ¿cómo está tu corazón y…?

UNIDAD (12)

Actividad 4.a. [PISTA 35]

MODERADORA: Queridos espectadores, bienvenidos una vez más a la tertulia televisiva *De tarde en tarde*. Hoy vamos a tratar uno de los temas que más preocupan a los padres: la adicción al móvil de muchos jóvenes. Para ello, contamos con el doctor Mauro Ayala, especialista en este tipo de adicciones, y don Arturo Olave, padre de un adolescente que presenta esta patología. Bienvenidos a los dos.

DOCTOR AYALA: Muchas gracias a usted por invitarme y buenas tardes a todos los telespectadores.

ARTURO: Sí, buenas tardes y… yo también les agradezco enormemente que me hayan invitado al programa de hoy, porque considero que estamos ante un tema muy serio que cada vez afecta a más jóvenes de nuestra sociedad.

MODERADORA: Bien, son muchas las preguntas que nos hacemos acerca de este tema, pero vayamos por partes. Doctor, ¿a partir de qué momento podemos hablar de trastorno psicológico?

DOCTOR AYALA: Me alegro de que me pregunte esto, porque es justamente lo que va a permitir a muchos padres saber si tienen o no que pedir ayuda a un especialista. Podemos considerar que el móvil pasa a ser adictivo cuando se convierte en una conducta no controlada y repetitiva por parte del sujeto y que, además, produce en este un placer que solo puede ser cubierto a través de la utilización de estos aparatos. Son los padres los únicos que pueden, mostrando ellos mismos un uso racional del móvil, controlar que los adolescentes sepan determinar cuál es el uso adecuado que deben hacer de sus teléfonos.

MODERADORA: ¿Qué opina usted Arturo?

ARTURO: Desde luego que, como dice el doctor, los padres tienen algo de responsabilidad en este problema. Sin embargo, no coincido con él en que nuestro uso del móvil vaya a ayudar a evitar la adicción de nuestros hijos. Sin ir más lejos, yo no tengo móvil y mi mujer no se compró uno hasta hace dos años. Quizá este sea el problema. Los adultos compramos muchos menos móviles que los jóvenes. El otro día leí que el 95% de los jóvenes de entre 12 y 20 años en España tienen al menos uno en su poder. ¿No cree que lo mejor sería no permitir que este uso estuviera tan generalizado? Es decir, si yo no le hubiera permitido a mi hijo tener un móvil, él no se habría enganchado.

DOCTOR AYALA: No, para mí esa no es la solución. No hay nada de malo en que los jóvenes tengan móvil. Como todo en la vida,

no es perjudicial si se sabe hacer un uso racional de ello. La clave está en cómo lograr que los jóvenes aprendan a convivir de forma sensata con los móviles, que sepan distinguir los pros y los contras y actuar en consecuencia.

ARTURO: Es cierto. Desde luego, la aceptación social de la que gozan los móviles complica la posibilidad de que estos desaparezcan. Para muchos jóvenes, tener móvil es una necesidad básica. Mi hijo más de una vez me ha dicho que, si le quitamos el móvil, le quitamos también los amigos, porque se convertiría en el bicho raro del colegio.

MODERADORA: Doctor, ¿podemos entonces considerar que en la sociedad actual tener un móvil ha pasado a ser para los jóvenes algo imprescindible, incluso para una integración social satisfactoria?

DOCTOR AYALA: Bueno. No considero que el hecho de no tener móvil implique no poder mantener relaciones sociales satisfactorias, ni para los adolescentes ni para los adultos. Como en todo, la personalidad de cada individuo es clave para determinar el grado de mímesis que cada uno necesita para sentirse integrado en la sociedad. Como saben, el ser humano, como muchos animales, cuenta con la capacidad, o necesidad, de imitar las características de su entorno o de los miembros que lo integran. Una de las cosas que se pueden lograr con esta imitación es el hecho de no sentirte diferente, o como diría el hijo de Arturo, no sentirte un bicho raro. Esto explicaría que tener un móvil ayude a muchas personas a sentirse parte de un grupo: todos tienen móvil y yo también. Sin embargo, también hay gente que admite que es diferente e incluso disfruta con ello: aunque todos tengan móvil, yo elijo vivir sin él, porque así me siento mejor. Pero no debemos olvidar que este sentimiento de individualidad es más común entre los adultos que entre los jóvenes.

ARTURO: Tiene razón doctor, a veces nos olvidamos de lo que los jóvenes sienten y les exigimos que actúen como adultos. Considero que algo muy importante es que nos concienciemos de lo que está ocurriendo y pidamos ayuda profesional si es necesaria.

DOCTOR AYALA: Desde luego que sí, Arturo; ese es sin duda el primer paso.

MODERADORA: Bueno, parece que ya tenemos la primera llamada de un telespectador. ¿Sí?, dígame, ¿cuál es su nombre?

TRANSCRIPCIONES